#홈스쿨링
#초등 영어 독해 기초력

똑똑한
하루
Reading

똑똑한 하루 Reading
시리즈 구성 (Level 1~4)

Level 1 A, B
3학년 영어

Level 2 A, B
4학년 영어

Level 3 A, B
5학년 영어

Level 4 A, B
6학년 영어

똑똑한 하루 Reading만의

똑똑한 부가 자료

책 속 부록

어휘 리스트

온라인 자료

QR

▷ QR코드를 스캔하여 편리하게 음원을 들으며 학습하세요.

추가 활동지

▷ 다양한 추가 활동지를 book.chunjae.co.kr 에서 다운 받으세요.

똑똑한
하루
Reading ♥

4주 완성 스케줄표

⭐ 공부한 날짜를 써 봐!

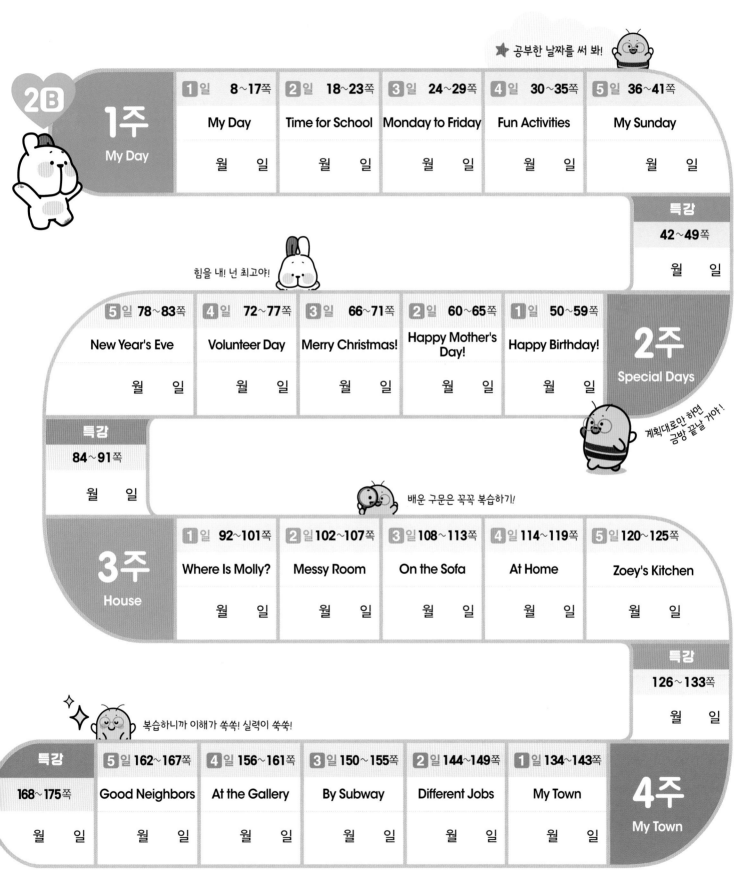

2B

1주 My Day

1일 8~17쪽	2일 18~23쪽	3일 24~29쪽	4일 30~35쪽	5일 36~41쪽
My Day	Time for School	Monday to Friday	Fun Activities	My Sunday
월 일	월 일	월 일	월 일	월 일

특강
42~49쪽
월   일

힘을 내! 넌 최고야!

2주 Special Days

5일 78~83쪽	4일 72~77쪽	3일 66~71쪽	2일 60~65쪽	1일 50~59쪽
New Year's Eve	Volunteer Day	Merry Christmas!	Happy Mother's Day!	Happy Birthday!
월 일	월 일	월 일	월 일	월 일

특강
84~91쪽
월   일

계획대로만 하면 금방 끝날 거야!

배운 구문은 꼭꼭 복습하기!

3주 House

1일 92~101쪽	2일 102~107쪽	3일 108~113쪽	4일 114~119쪽	5일 120~125쪽
Where Is Molly?	Messy Room	On the Sofa	At Home	Zoey's Kitchen
월 일	월 일	월 일	월 일	월 일

특강
126~133쪽
월   일

복습하니까 이해가 쏙쏙! 실력이 쑥쑥!

4주 My Town

특강	5일 162~167쪽	4일 156~161쪽	3일 150~155쪽	2일 144~149쪽	1일 134~143쪽
168~175쪽	Good Neighbors	At the Gallery	By Subway	Different Jobs	My Town
월 일	월 일	월 일	월 일	월 일	월 일

똑똑한 하루 Reading

똑똑한 QR 사용법

QR 음원 편리하게 듣기

1. 표지의 QR 코드를 찍어
   리스트형으로 모아 듣기

2. 교재의 QR 코드를 찍어 바로 듣기

편하고 똑똑하게!

Chunjae
Makes
Chunjae

편집개발	신원경, 정다혜, 박영미, 이지은
디자인총괄	김희정
표지디자인	윤순미, 이주영
내지디자인	박희춘, 이혜미
제작	황성진, 조규영

발행일	2021년 11월 15일 초판 2021년 11월 15일 1쇄
발행인	(주)천재교육
주소	서울시 금천구 가산로9길 54
신고번호	제2001-000018호
고객센터	1577-0902

똑 똑 한

하루
Reading

4학년 영어

2B

똑똑한 하루 Reading ★ **LEVEL 2 B** ★

구성과 활용 방법

한 주 미리보기

미리보기 만화

미리보기 활동

- 재미있는 만화를 읽으며 이번 주에 공부할 내용을 생각해 보세요.
- 간단한 활동을 하며 이번 주에 배울 단어와 구문을 알아보세요.

step 1

- 재미있는 만화를 읽으며 오늘 읽을 글의 내용을 생각해 보세요.
- QR 코드를 찍어 새로 배울 단어나 어구를 듣고 써 보세요.

step 2

- 짧고 쉬운 글을 읽고 글의 주제를 알아보고 주요 구문을 익혀 보세요.
- QR 코드를 찍어 글을 듣고 한 문장씩 따라 읽어 보세요.
- 문제를 풀어 보며 글을 잘 이해했는지 확인해 보세요.

다양한 활동을 하며 오늘 배운 단어와
주요 구문을 복습해 보세요.

누구나 100점
TEST

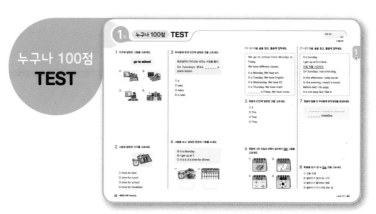

문제를 풀어 보며 한 주 동안 배운 내용을 얼마나
잘 이해했는지 확인해 보세요.

Brain Game Zone

한 주 동안 배운 내용을 창의·사고력 게임으로
재미는 두배, 사고력은 UP!

말판 놀이

창의·사고력 게임

창의·서술형

똑똑한 하루 Reading **공부할 내용**

3주

House

4주

My Town

하루 구문 미리보기

💜 **문장을 이루는 것에는 무엇이 있는지 미리 알아볼까요?**

주어

동사가 나타내는 동작이나 상태의 주체를 말해요.

I like pizza. 나는 피자를 좋아해.
　주어　동사

동사

주어의 동작이나 상태를 나타내는 말이에요.

They play together. 그들은 함께 놀아.
　　주어　　동사

목적어

동사가 나타내는 동작의 대상이 되는 말이에요.

She reads books. 그녀는 책을 읽어.
　　　동사　　목적어

보어

주어를 보충해서 설명하는 말이에요.

He is kind. 그는 친절해.
　주어　　보어

함께 공부할 친구들

서준 스마트폰 촬영을 좋아하는 개구쟁이

하윤 친구들을 도와주는 다정한 미소 천사

레오 개그 담당 말썽꾸러기 사막여우

까오 레오 단짝 귀여운 까마귀

1주에는 무엇을 공부할까? ❶

📦 재미있는 이야기로 이번 주에 공부할 내용을 알아보세요.

A

◉ 그림을 보고 여러분의 일과에 맞게 시각을 써 보세요.

> **I ... at ~.** 나는 ~시에 …해.

get up

have breakfast

go to school

: : :

have lunch

have dinner

go to bed

: : :

◉ 여러분이 각 요일에 배우는 과목을 우리말로 하나씩만 써 보세요.

It is ~. ~요일이야.

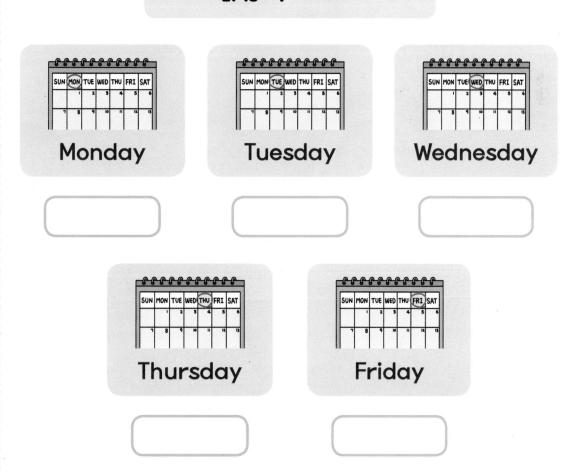

Monday

Tuesday

Wednesday

Thursday

Friday

나의 하루

일과

My Day

🎁 **재미있는 이야기로 오늘 읽을 글의 내용을 생각해 보세요.**

New Words   오늘 배울 어구를 듣고 써 보세요.

1
주

get up 일어나다

have breakfast 아침을 먹다

go to school 학교에 가다

have lunch 점심을 먹다

have dinner 저녁을 먹다

go to bed 자다

My Day

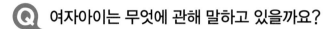

Q 여자아이는 무엇에 관해 말하고 있을까요?

Hi, I am Julie.

This is my day.

I get up at 7.

I have breakfast at 7:30.

I go to school at 8:30.

I have lunch at 12.

I have dinner at 6.

I go to bed at 9.

How about you?

하루 구문

I + 일과 어구 + at + 시각. 나는 ~시에 …해.

내가 몇 시에 무엇을 하는지 말하는 표현이에요. 규칙적이고 반복적인 일과를 나타내는데, 이때 시각 앞에는 at을 써요.

시각은 「시+분」으로 나타내요. 예를 들어 7시 30분은 seven thirty라고 말해요.

Let's Check

▶정답 1쪽

A 글의 내용과 일치하도록 빈칸에 알맞은 것을 고르세요.

1. Julie gets up at _____.

   ⓐ 7:00   ⓑ 7:30   ⓒ 8:30

2. Julie has _____ at 6.

   ⓐ breakfast   ⓑ lunch   ⓒ dinner

B 그림에 알맞은 문장을 연결하세요.

1.    •   • I have lunch at 12.

2.    •   • I go to bed at 9.

3.    •   • I go to school at 8:30.

Let's Practice 집중 연습

 A 그림에 알맞은 어구를 연결하세요.

1.

2.

3.

•   •   •

•   •   •

go to bed   get up   have lunch

B 그림에 알맞은 어구를 보기 에서 골라 문장을 완성하세요.

보기   have breakfast   go to school   have dinner

1.

I _____ at 8:30.

2.

I _____ at 7:30.

C 그림에 알맞은 문장을 완성하세요.

1.

I_____6.

나는 6시에 저녁을 먹어.

2.

I_____9.

나는 9시에 자.

D 그림에 맞게 단어나 어구를 바르게 배열하여 문장을 쓰세요.

1.

(at / I / 7 / get up)

나는 7시에 일어나.

2.

(have lunch / at / I / 12)

나는 12시에 점심을 먹어.

학교 갈 시간

시각과 할 일

Time for School

📦 재미있는 이야기로 오늘 읽을 글의 내용을 생각해 보세요.

New Words 오늘 배울 단어나 어구를 듣고 써 보세요.

morning

아침

time for breakfast

아침 먹을 시간

time for school

학교 갈 시간

time for lunch

점심 먹을 시간

time for dinner

저녁 먹을 시간

time for bed

잘 시간

Time for School

Q 각 시각은 무엇을 해야 할 시간일까요?

Good morning, Tony!

It is 7:30.

It is time for breakfast.

It is 8:30.

It is time for school.

It is 12.

It is time for lunch.

It is 6.

It is time for dinner.

It is 9.

It is time for bed.

 하루 구문

It is + 시각. ~시야.

지금 몇 시인지 말하는 표현이에요. 이때 It은 '그것'이라고 해석하지 않아요.

It is time for + 할 일. ~할 시간이야.

어떤 일을 해야 할 시간이라는 것을 말하는 표현 이에요. 여기 It도 '그것'이라고 해석하지 않아요.

Let's Check

▶정답 2쪽

A 문장을 읽고 글의 내용과 일치하면 T, 일치하지 않으면 F 에 동그라미 하세요.

1. It is 8:30. It is time for school. T F

2. It is 12:30. It is time for lunch. T F

3. It is 9. It is time for dinner. T F

B 그림에 알맞은 문장을 연결하세요.

1.  • • It is time for bed.

2.  • • It is time for school.

3.  • • It is time for breakfast.

Let's Practice 집중 연습

 그림에 알맞은 단어나 어구를 연결하세요.

1.

2.

3.

morning

time for dinner

time for bed

B 그림에 알맞은 어구를 보기 에서 골라 문장을 완성하세요.

보기 | time for lunch   time for breakfast   time for school

1.

It is 8:30. It is _____ .

2.

It is 12. It is _____ .

C 그림에 알맞은 문장을 완성하세요.

1.

_____ _____ 6.

6시야.

2.

_____ _____ _____ _____ dinner.

저녁 먹을 시간이야.

D 그림에 맞게 단어나 어구를 바르게 배열하여 문장을 쓰세요.

1.

(is / time for breakfast / It)

_____

아침 먹을 시간이야.

2.

(is / It / time for bed)

_____

잘 시간이야.

월요일부터 금요일까지
Monday to Friday

요일

🎁 재미있는 이야기로 오늘 읽을 글의 내용을 생각해 보세요.

New Words 오늘 배울 단어를 듣고 써 보세요.

Monday 월요일

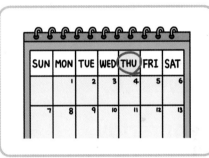

Tuesday 화요일

Wednesday 수요일

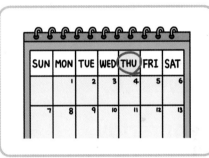

Thursday 목요일

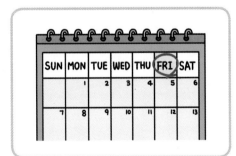

Friday 금요일

P.E. 체육

Monday to Friday

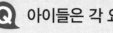 **Q** 아이들은 각 요일에 어떤 과목을 배울까요?

We go to school from Monday to Friday.

We have different classes.

It is Monday.

We have art.

It is Tuesday.

We have English.

It is Wednesday.

We have P.E.

It is Thursday.

We have math.

It is Friday.

We have music.

 하루 구문

It is + 요일. ~요일이야.

오늘이 무슨 요일인지 말하는 표현이에요. 시각과 마찬가지로 It은 '그것'이라고 해석하지 않아요. 그리고 요일을 나타내는 단어는 첫 글자를 항상 대문자로 써요.

P.E.는 과목 중에서 체육을 말하는데 Physical Education을 줄인 표현이에요.

Let's Check

▶정답 3쪽

A 글의 내용과 일치하도록 괄호 안에서 알맞은 것을 골라 동그라미 하세요.

1. From Monday to Friday, we have different (sports / classes).

2. It is (Wednesday / Monday). We have P.E.

3. It is Friday. We have (art / music).

B 그림에 알맞은 문장을 연결하세요.

1.

   •   • It is Monday. We have art.

2.

   •   • It is Thursday. We have math.

3.

   •   • It is Tuesday. We have English.

 그림에 알맞은 단어를 연결하세요.

1.

2.

3.

Monday

Wednesday

P.E.

B 그림에 알맞은 단어를 보기에서 골라 문장을 완성하세요.

보기   Tuesday   Thursday   Friday

1.

It is _____.

2.

It is _____.

C 그림에 알맞은 문장을 완성하세요.

1.

—————— Monday.

월요일이야.

2.

—————— Wednesday.

수요일이야.

D 그림에 맞게 단어를 바르게 배열하여 문장을 쓰세요.

1.

(Tuesday / It / is)

화요일이야.

2.

(is / Thursday / It)

목요일이야.

재미있는 활동들

여가 활동

Fun Activities

🎁 **재미있는 이야기로 오늘 읽을 글의 내용을 생각해 보세요.**

New Words
오늘 배울 단어를 듣고 써 보세요.

Saturday 토요일

Sunday 일요일

study 공부하다

interesting 재미있는

activity 활동

lesson 수업

Fun Activities

Q 아이들은 여가 활동으로 무엇을 할까요?

 Tuesday
 Friday
 Saturday
 Sunday

We like to study at school.

But we like to do some interesting activities, too.

On Tuesdays, Mike takes a piano lesson.

On Fridays, Kate plays computer games.

On Saturdays, Tom draws pictures.

On Sundays, I take a cooking class.

What do you do for fun?

하루 구문

On + 요일s, 주어 + 일반동사 ~. …는 *요일마다 ~해.

어떤 요일마다 규칙적으로 하는 일을 말하는 표현이에요. 이때 주어가 3인칭 단수이면 일반동사의 끝에 s나 es를 붙여야 하는데, play와 같이 「모음+y」로 끝나는 경우에는 s를 붙여요.

요일 앞에는 on을 써요. 그리고 요일 단어 뒤에 s를 붙이면 '~(요일)마다'라는 뜻이 돼요.

Let's Check

▶정답 4쪽

A 문장을 읽고 글의 내용과 일치하면 , 일치하지 않으면 에 동그라미 하세요.

1. We like to do interesting activities for fun.　　　

2. On Tuesdays, Mike takes a violin lesson.　　　

3. On Sundays, I take a cooking class.　　　

B 그림에 알맞은 문장을 연결하세요.

1.

On Saturdays, Tom draws pictures.

2.

On Tuesdays, Mike takes a piano lesson.

3.

On Fridays, Kate plays computer games.

 # Let's Practice 집중 연습

 그림에 알맞은 단어를 연결하세요.

1.

2.

3.

Saturday   Sunday   interesting

B 그림에 알맞은 단어를 보기 에서 골라 문장을 완성하세요.

보기   **lesson**   **study**   **activity**

1.

We like to _____ at school.

2.

Mike takes a piano _____.

C 그림에 알맞은 문장을 완성하세요.

1.

   _____ Fridays, he _____ pictures.

   금요일마다 그는 그림을 그려.

2.

   _____ Sundays, she _____ games.

   일요일마다 그녀는 게임을 해.

D 그림에 맞게 단어나 어구를 바르게 배열하여 문장을 쓰세요.

1.  (a piano lesson / Ted / On Tuesdays, / takes)

   _____

   화요일마다 테드는 피아노 수업을 들어.

2.  (takes / On Saturdays, / a cooking class / Lisa)

   _____

   토요일마다 리사는 요리 수업을 들어.

똑똑한 하루 5일 Reading

나의 일요일

My Sunday 1~4일 복습

🎁 **재미있는 이야기로 오늘 읽을 글의 내용을 생각해 보세요.**

New Words 오늘 배울 단어를 듣고 써 보세요.

o'clock ~시(정각)

hot dog 핫도그

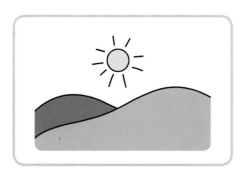

afternoon 오후

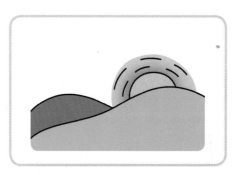

evening 저녁

yoga 요가

easy 쉬운

My Sunday

Q 원숭이는 무엇을 하며 일요일을 보낼까요?

It is Sunday.

I get up at 9 o'clock.

It is time for breakfast.

On Sundays, I eat a hot dog.

In the afternoon, I play soccer.

In the evening, I watch a movie.

Before bed, I do yoga.

It is not easy.

But I like it.

 하루 구문 복습!

I + 일과 어구 + **at** + 시각. 나는 ~시에 …해.	
It is + 시각. ~시야.	**It is time for** + 할 일. ~할 시간이야.
It is + 요일. ~요일이야.	**On** + 요일s, 주어 + 일반동사 ~. …는 *요일마다 ~해.

Let's Check

▶정답 5쪽

 글의 내용과 일치하도록 빈칸에 알맞은 것을 고르세요.

1. Today is _____.

   ⓐ Friday   ⓑ Saturday   ⓒ Sunday

2. Yoga is not _____.

   ⓐ fun   ⓑ easy   ⓒ interesting

B 그림에 알맞은 문장을 연결하세요.

1.    •   •   I get up at 9 o'clock.

2.    •   •   Before bed, I do yoga.

3.    •   •   On Sundays, I eat a hot dog.

Let's Practice 집중 연습

 그림에 알맞은 단어를 연결하세요.

1.

2.

3.

• hot dog

• o'clock

• afternoon

B 그림에 알맞은 단어를 보기 에서 골라 문장을 완성하세요.

보기 evening easy yoga

1.

Before bed, I do _____ .

2.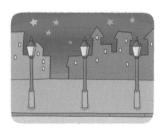

In the _____ , I watch a movie.

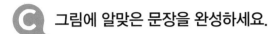

▶정답 5쪽

C 그림에 알맞은 문장을 완성하세요.

1.

Sunday.

일요일이야.

2.

I 9 o'clock.

나는 9시에 일어나.

D 그림에 맞게 단어나 어구를 바르게 배열하여 문장을 쓰세요.

1.

(is / It / time for breakfast)

아침 먹을 시간이야.

2.

(eat / On Sundays, / a hot dog / I)

일요일마다 나는 핫도그를 먹어.

1 어구에 알맞은 그림을 고르세요.

go to school

①  ②

③   ④

2 그림에 알맞은 어구를 고르세요.

① time for bed
② time for lunch
③ time for school
④ time for breakfast

3 우리말에 맞게 빈칸에 알맞은 것을 고르세요.

화요일마다 마이크는 피아노 수업을 들어.
On Tuesdays, Mike _____ a piano lesson.

① is
② take
③ takes
④ is take

4 그림을 보고, 알맞은 문장의 기호를 쓰세요.

ⓐ It is Monday.
ⓑ I get up at 7.
ⓒ It is 6. It is time for dinner.

(1) 　(2)

1
주

[5~6] 다음 글을 읽고, 물음에 답하세요.

> We go to school from Monday to Friday.
> We have different classes.
>
> It is Monday. We have art.
> It is Tuesday. We have English.
> It is Wednesday. We have P.E.
> It is Thursday. We have math.
> _____ is Friday. We have music.

5 윗글의 빈칸에 알맞은 것을 고르세요.

① It
② This
③ That
④ They

6 윗글에 나온 요일과 과목이 일치하지 <u>않는</u> 그림을 고르세요.

①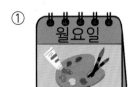
②
③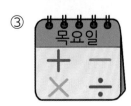
④

[7~8] 다음 글을 읽고, 물음에 답하세요.

> It is Sunday.
> I get up at 9 o'clock.
> <u>아침 먹을 시간이야.</u>
> On Sundays, I eat a hot dog.
>
> In the afternoon, I play soccer.
> In the evening, I watch a movie.
> Before bed, I do yoga.
> It is not easy. But I like it.

7 윗글의 밑줄 친 우리말에 맞게 문장을 완성하세요.

_____ _____ _____
_____ breakfast.

8 윗글을 읽고 알 수 <u>없는</u> 것을 고르세요.

① 오늘 요일
② 글쓴이가 일어나는 시각
③ 글쓴이가 좋아하는 영화
④ 글쓴이가 자기 전에 하는 일

🧩 배운 내용을 떠올리며 말판 놀이를 해 보세요.

START 부릉부릉

1. 어구를 읽고 알맞은 우리말 뜻과 연결하세요.

have lunch · · 잘 시간

time for bed · · 점심을 먹다

2. 그림을 보고 알맞은 단어에 동그라미 하세요.

morning   afternoon

5. 그림과 어구가 일치하면 ○ 표, 일치하지 않으면 × 표 하세요.

time for dinner ☐

4. 그림을 보고 알파벳을 바르게 배열하여 단어를 쓰세요.

daFyir → _____

3. 그림에 알맞은 단어를 완성하세요.

☐ u ☐ sday

6. 그림과 문장이 일치하면 ○ 표, 일치하지 않으면 × 표 하세요.

I go to bed at 9 o'clock.

7. 문장을 읽고 알맞은 그림에 동그라미 하세요.

It is Thursday.

8. 우리말에 맞게 문장을 완성하세요.

월요일마다 톰은 그림을 그려.

_____ _____, Tom _____ pictures.

9. 그림을 보고 알맞은 문장에 ✓ 표 하세요.

It is Sunday.

It is time for school.

10. 우리말에 맞게 단어나 어구를 바르게 배열하여 문장을 쓰세요.

토요일마다 에이미는 게임을 해.

(plays games / Amy / On Saturdays,)

→ _____

A 각 칸의 숫자가 어떤 규칙에 의해 움직였어요. 단서를 읽고 ? 칸에 들어갈 숫자를 알아낸 후, 우리말에 맞게 문장을 완성하세요.

단서 시계 방향으로 숫자만큼 칸을 이동해요.

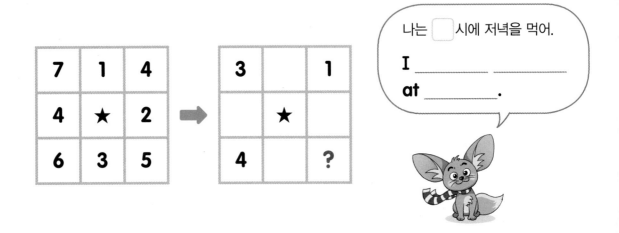

7	1	4
4	★	2
6	3	5

➡

3		1
	★	
4		?

나는 [   ]시에 저녁을 먹어.

I _____ _____

at _____ .

B 동그라미 세 개를 움직여 역삼각형(▽) 모양을 만든 후, 움직인 동그라미 안의 단어를 사용하여 어구를 쓰고 우리말 뜻도 쓰세요.

time

school   have

go   lunch   to

for   dinner   time   bed

어구: [   ]

뜻: [   ]

C 레오와 까오가 스무고개를 하며 단어를 찾고 있어요. 대화를 읽고, 레오가 찾은 단어를 보기 에서 골라 문장을 완성하세요.

보기   **Wednesday**   **Monday**   **Saturday**   **Thursday**

 주말이야?   아니야.

 음… 그럼 한 주를 시작하는 요일인가?   땡! 틀렸어.

 아하! 한 주의 중간에 있는 요일이구나.   그렇지!

 요일을 나타내는 단어 중에 가장 긴 단어지?   딩동댕~

It is _____.

Step A 그림 단서를 보고 [보기]에서 알맞은 단어나 어구를 골라 퍼즐을 완성하세요.

[보기] **breakfast   get up   Sunday   hot dog**

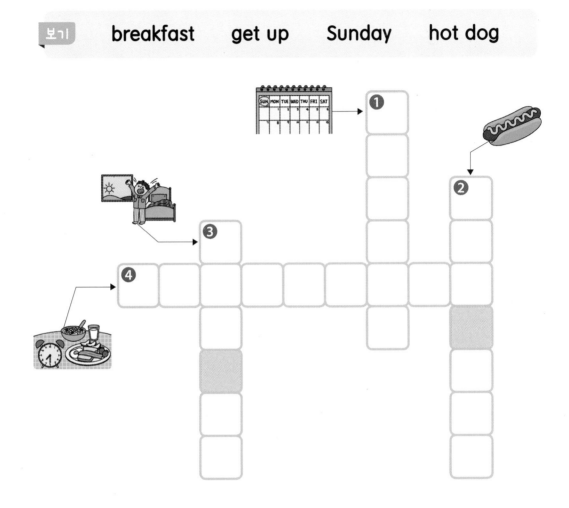

Step B Step A 의 단어나 어구를 사용하여 글을 완성하세요.

It is _____.

I _____ at 9 o'clock.

It is time for _____.

On Sundays, I eat a _____.

In the afternoon, I play soccer.

In the evening, I watch a movie.

Before bed, I do yoga.

It is not easy. But I like it.

Step C

단서 를 보고 암호를 풀어 문장을 쓰세요.

단서 ♥ = at   ♧ = is   ★ = It   ◎ = get up

1. ★ ♧ Sunday.

_____

- -

_____

일요일이야.

2. I ◎ ♥ 9 o'clock.

_____

- -

_____

나는 9시에 일어나.

창의 서술형

 여러분의 일요일을 소개하는 글을 완성하세요.

It is Sunday.

I get up at _____ o'clock.

It is time for breakfast.

On Sundays, I eat _____.

In the afternoon, I _____

_____.

In the evening, I _____

_____.

🎁 재미있는 이야기로 이번 주에 공부할 내용을 알아보세요.

◉ 다른 사람이 좋아하는지 묻고 싶은 것에 ✔ 표 해 보세요.

Does he/she like ~? 그/그녀는 ~를 좋아하니?

B

◉ 그림과 같은 행동을 하는 사람을 본 적이 있는 것에 동그라미 해 보세요.

Is he/she ~ the dog? 그/그녀는 개를 ~하고 있니?

washing

drying

walking

feeding

생일 축하해!

생일

Happy Birthday!

📦 **재미있는 이야기로 오늘 읽을 글의 내용을 생각해 보세요.**

New Words 오늘 배울 단어나 어구를 듣고 써 보세요.

invite 초대하다

drink 마시다

climb 오르다, 올라가다

take a picture 사진을 찍다

backyard 뒷마당

present 선물

Happy Birthday!

Q 생일 파티에서 아이들은 어떤 행동을 하고 있을까요?

Today is my birthday.

I am having a party in my backyard.

I invite many friends.

At the party, we are drinking juice.

We are climbing up the tree.

We are taking pictures.

I get a big present.

We are opening the present.

Surprise!

하루 구문

We are + 동사원형**ing** + 목적어. 우리는 …를 ~하고 있어.

우리가 지금 하고 있는 동작이나 행동을 말하는 표현이에요. 동사를
「be동사 + 동사원형ing」의 형태로 쓴 것을 '현재진행형'이라고 불러요.

take와 같이 -e로 끝나는 동사는
e를 없애고 ing를 붙여요.
take → taking

Let's Check

▶정답 8쪽

A 글의 내용과 일치하도록 빈칸에 알맞은 것을 고르세요.

1. Today is Jake's _____ .

   ⓐ picnic   ⓑ birthday   ⓒ camping trip

2. Jake invites many _____ .

   ⓐ friends   ⓑ teachers   ⓒ cousins

B 그림에 알맞은 문장을 연결하세요.

1.    •   •   I get a big present.

2.    •   •   We are climbing up the tree.

3.    •   •   I am having a party in my backyard.

 그림에 알맞은 단어나 어구를 연결하세요.

1.

2.

3.

backyard   climb   take a picture

B 그림에 알맞은 단어를 보기 에서 골라 문장을 완성하세요.

보기   present   drink   invite

1.

I get a big _____ .

2.

I _____ many friends.

C 그림에 알맞은 문장을 완성하세요.

1.

We _____ _____ juice.

우리는 주스를 마시고 있어.

2.

We _____ _____ pictures.

우리는 사진을 찍고 있어.

D 그림에 맞게 단어나 어구를 바르게 배열하여 문장을 쓰세요.

1.

(opening / We / the present / are)

_____

우리는 선물을 열고 있어.

2.

(are / up the tree / climbing / We)

_____

우리는 나무에 오르고 있어.

Level 2 B • **59**

어머니날 축하드려요!   어머니날

Happy Mother's Day!

📦 **재미있는 이야기로 오늘 읽을 글의 내용을 생각해 보세요.**

New Words   오늘 배울 단어를 듣고 써 보세요.

hairpin 머리핀

candle 양초

mug 머그잔

card 카드

gift 선물

think 생각하다

2
주

Happy Mother's Day!

Q 남자아이의 엄마는 무엇을 좋아하실까요?

Tomorrow is Mother's Day.

Ben thinks about a special gift for his mom.

What does she like?

Does she like hairpins?

Does she like chocolate?

Does she like candles?

Does she like mugs?

Oh, she likes flowers!

He writes a card.

"Happy Mother's Day, Mom!"

Does she/he + 동사원형 ~? 그녀/그는 ~하니?

문장의 주어가 she나 he와 같은 3인칭 단수일 때의 일반동사 의문문이에요. Does를 문장 맨 앞에 쓰고 주어 뒤의 일반동사는 동사원형을 써요.

미국에서는 어머니날과 아버지날을 따로 축하해요. 어머니날은 5월 둘째 주 일요일이고, 아버지날은 6월 셋째 주 일요일이에요.

Let's Check

▶정답 9쪽

A 문장을 읽고 글의 내용과 일치하면 **T**, 일치하지 않으면 **F**에 동그라미 하세요.

1. Tomorrow is Children's Day.

2. Ben thinks about a special gift for his mom.

3. Ben's mom likes flowers.

B 그림에 알맞은 문장을 연결하세요.

1.  • • She likes flowers.

2.  • • He writes a card.

3.  • • Does she like chocolate?

Let's Practice 집중 연습

 A 그림에 알맞은 단어를 연결하세요.

1.  **2.**  **3.**

card   gift   think

B 그림에 알맞은 단어를 보기 에서 골라 문장을 완성하세요.

보기   hairpin   mug   candle

1.    Does he like _____ s?

2.    Does she like _____ s?

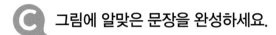

C 그림에 알맞은 문장을 완성하세요.

1.

_____ she _____ mugs?

그녀는 머그잔을 좋아하시니?

2.

_____ he _____ chocolate?

그는 초콜릿을 좋아하니?

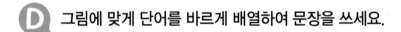

D 그림에 맞게 단어를 바르게 배열하여 문장을 쓰세요.

1.

(candles / Does / like / he)

_____

그는 양초를 좋아하시니?

2.

(she / hairpins / like / Does)

_____

그녀는 머리핀을 좋아하니?

메리 크리스마스!

Merry Christmas!

크리스마스

🎁 **재미있는 이야기로 오늘 읽을 글의 내용을 생각해 보세요.**

New Words

오늘 배울 단어나 어구를 듣고 써 보세요.

2주

Christmas 크리스마스

busy 바쁜

bake 굽다

set the table 상을 차리다

wrap 포장하다

light 전등

Merry Christmas!

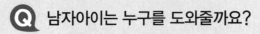
Q 남자아이는 누구를 도와줄까요?

6

Christmas is coming.

My family is busy.

Mom bakes cookies.

I can help her.

Dad sets the table.

I can help him.

Grandma and Grandpa wrap the Christmas presents.

I can help them.

My sister and I put the lights on the tree.

Please help us!

하루 구문

I can help + 목적어. 나는 ~를 도울 수 있어.

인칭대명사는 목적어로 쓰일 경우 주어일 때와 형태가 달라지기도 해요.
I → me(나를), you → you(너를, 너희를), she → her(그녀를),
he → him(그를), they → them(그들을), we → us(우리를)

'대명사'는 명사를 대신해서 쓰는
말이에요. 그 중에서 '인칭대명사'는
사람의 이름을 대신해서 써요.

Let's Check

▶정답 10쪽

 글의 내용과 일치하도록 괄호 안에서 알맞은 것을 골라 동그라미 하세요.

1. The boy's family is (funny / busy).

2. The boy can (help / draw) his family.

3. The boy and his sister put the (lights / cookies) on the tree.

 그림에 알맞은 문장을 연결하세요.

1.

Dad sets the table.

2.

Mom bakes cookies.

3.

Grandma and Grandpa wrap the Christmas presents.

Let's Practice 집중 연습

 그림에 알맞은 단어나 어구를 연결하세요.

1.

2.

3.

wrap

bake

set the table

 그림에 알맞은 단어를 보기 에서 골라 문장을 완성하세요.

보기   busy   light   Christmas

1.

_____ is coming.

2.

My family is _____.

C 그림에 알맞은 문장을 완성하세요.

1.

Please help   !

우리를 좀 도와줘!

2.

I can help   .

나는 그녀를 도울 수 있어.

D 그림에 맞게 단어를 바르게 배열하여 문장을 쓰세요.

1.

(help / him / can / I)

나는 그를 도울 수 있어.

2.

(can / them / I / help)

나는 그들을 도울 수 있어.

자원봉사 하는 날

Volunteer Day

🎁 **재미있는 이야기로 오늘 읽을 글의 내용을 생각해 보세요.**

New Words 오늘 배울 단어를 듣고 써 보세요.

feed 먹이를 주다

_____

wash 씻다

_____

dry 말리다

_____

walk 산책시키다

_____

brush 빗질하다

_____

hair 털

_____

Volunteer Day

Q 개를 돌보는 아이들 중 누가 엠마일까요?

 Look! Emma is over there.

 Who is Emma?

Is she walking the dog?  No.

Is she washing the dog? No.

Is she feeding the dog? No.

Is she drying the dog? No.

What is she doing?

She is brushing the dog's hair.

Oh, that is Emma!

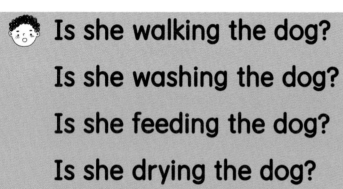

하루 구문

Be동사 + 주어 + 동사원형ing ~?

…는 ∼하고 있니?, …는 ∼하는 중이니?

주어가 지금 어떤 행동을 하고 있는지 묻는 현재진행형의 의문문이에요.

be동사의 의문문은 주어와 be동사의 위치를 바꿔서 나타내요.

> be동사로 물을 때 맞으면 「Yes, 주어+be동사.」, 아니면 「No, 주어+be동사+not.」이라고 대답해요.

Let's Check

▶정답 11쪽

A 글의 내용과 일치하도록 질문에 알맞은 대답을 골라 ✓ 표 하세요.

1. **Is Emma drying the dog?**

   ☐ Yes, she is.   ☐ No, she isn't.

2. **Is Emma brushing the dog's hair?**

   ☐ Yes, she is.   ☐ No, she isn't.

B 그림에 알맞은 문장을 연결하세요.

1.    •   •   **Is she walking the dog?**

2.    •   •   **Is she feeding the dog?**

3.    •   •   **She is brushing the dog's hair.**

Let's Practice 집중 연습

 A 그림에 알맞은 단어를 연결하세요.

1.  **2.**  **3.**

brush   walk   wash

B 그림에 알맞은 단어를 보기 에서 골라 문장을 완성하세요.

보기 feed   hair   dry

1.

Is he _____ing the dog?

2.

Is she _____ing the dog?

C 그림에 알맞은 문장을 완성하세요.

1.

‑‑‑‑‑‑‑ he ‑‑‑‑‑‑‑‑‑‑‑‑ the dog?

그는 개를 산책시키고 있니?

2.

‑‑‑‑‑‑ she ‑‑‑‑‑‑‑‑‑‑ the dog?

그녀는 개를 씻기고 있니?

D 그림에 맞게 단어나 어구를 바르게 배열하여 문장을 쓰세요.

1.

(the dog / Is / drying / he)

‑‑‑‑‑‑‑‑‑‑‑‑‑‑‑‑‑‑‑‑‑‑‑‑‑‑‑‑‑‑‑

그는 개를 말리고 있니?

2.

(she / the dog / feeding / Is)

‑‑‑‑‑‑‑‑‑‑‑‑‑‑‑‑‑‑‑‑‑‑‑‑‑‑‑‑‑‑‑

그녀는 개에게 먹이를 주고 있니?

새해 전날
New Year's Eve 1~4일 복습

📦 **재미있는 이야기로 오늘 읽을 글의 내용을 생각해 보세요.**

New Words 오늘 배울 단어나 어구를 듣고 써 보세요.

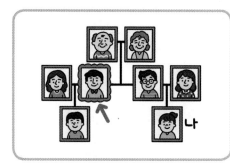

uncle 삼촌

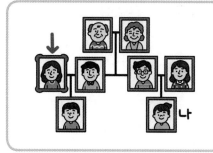

aunt 숙모

visit 방문하다

little 어린

p.m. 오후

watch TV 텔레비전을 보다

New Year's Eve

Q 그림 속 특별한 날은 언제일까요?

It is New Year's Eve.

My uncle's family visits us.

My little cousin, Jason, is eating cookies.

Does he like cookies?

Yes, he loves them.

It is 11:59 p.m.

We are watching TV together.

My aunt says, "Jason, let's count down!"

Look! Is he sleeping?

하루 구문 복습!

We are + 동사원형**ing** + 목적어. 우리는 …를 ～하고 있어.	**Does she/he** + 동사원형 ～? 그녀/그는 ～하니?
I can help + 목적어. 나는 ～를 도울 수 있어.	**Be**동사 + 주어 + 동사원형**ing** ～? …는 ～하고 있니?, …는 ～하는 중이니?

Let's Check

▶정답 12쪽

A 글의 내용과 일치하도록 빈칸에 알맞은 것을 고르세요.

1. Today is _____ .

   ⓐ Mother's Day   ⓑ Christmas Eve   ⓒ New Year's Eve

2. Jason likes _____ .

   ⓐ candies   ⓑ cookies   ⓒ chocolate

B 그림에 알맞은 문장을 연결하세요.

1.    •   • It is 11:59 p.m.

2.    •   • Jason is eating cookies.

3.    •   • My uncle's family visits us.

Let's Practice 집중 연습

 그림에 알맞은 단어나 어구를 연결하세요.

1.

2.

3.

uncle　　　　　　watch TV　　　　　　visit

 그림에 알맞은 단어를 보기 에서 골라 문장을 완성하세요.

보기 　 little　　p.m.　　aunt

1.

　My _____ says, "Let's count down!"

2.

　My _____ cousin is eating cookies.

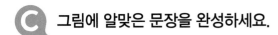 그림에 알맞은 문장을 완성하세요.

1.

_____ he _____ ?

그는 자고 있니?

2.

_____ she ____ cookies?

그녀는 쿠키를 좋아하니?

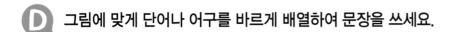 그림에 맞게 단어나 어구를 바르게 배열하여 문장을 쓰세요.

1.

(loves / them / He)

그는 그것들을 정말 좋아해.

2.

(are / together / We / watching TV)

우리는 함께 텔레비전을 보고 있어.

1 단어에 알맞은 그림을 고르세요.

hairpin

①   ②

③   ④

2 그림에 알맞은 단어를 고르세요.

① feed
② dry
③ wash
④ brush

3 우리말에 맞게 빈칸에 알맞은 것을 고르세요.

그는 초콜릿을 좋아하니?

_____ he like chocolate?

① Is
② Are
③ Do
④ Does

4 그림을 보고, 알맞은 문장의 기호를 쓰세요.

ⓐ Please help us.
ⓑ Does she like candles?
ⓒ Is he walking the dog?

(1)    (2)

[5~6] 다음 글을 읽고, 물음에 답하세요.

Today is my birthday.

I am having a party in my backyard.

I invite many friends.

At the party, we are drinking juice.

<u>우리는 나무에 오르고 있어.</u>

We are taking pictures.

I get a big present.

We are opening the present.

 Surprise!

5 윗글의 밑줄 친 우리말에 맞게 괄호 안의 단어를 이용하여 문장을 완성하세요.

> We _____ _____ up the
> tree. (climb)

6 윗글에서 아이들이 하는 행동을 나타낸 그림을 <u>모두</u> 고르세요.

①    ②

③    ④

[7~8] 다음 글을 읽고, 물음에 답하세요.

It is New Year's Eve.

My uncle's family visits us.

My little cousin, Jason, is eating cookies.

Does he like cookies?

Yes, he loves <u>they</u>.

It is 11:59 p.m.

We are watching TV together.

My aunt says, "Jason, let's count down!"

Look! Is he sleeping?

7 윗글의 밑줄 친 they를 바르게 고쳐 쓰세요.

> they → _____

8 윗글의 내용과 일치하지 <u>않는</u> 것을 고르세요.

① 오늘은 새해 전날이다.

② 글쓴이의 삼촌 가족이 글쓴이 집에 왔다.

③ 글쓴이의 사촌은 쿠키를 매우 좋아한다.

④ 글쓴이의 사촌은 카운트다운을 하는 중이다.

🧩 배운 내용을 떠올리며 말판 놀이를 해 보세요.

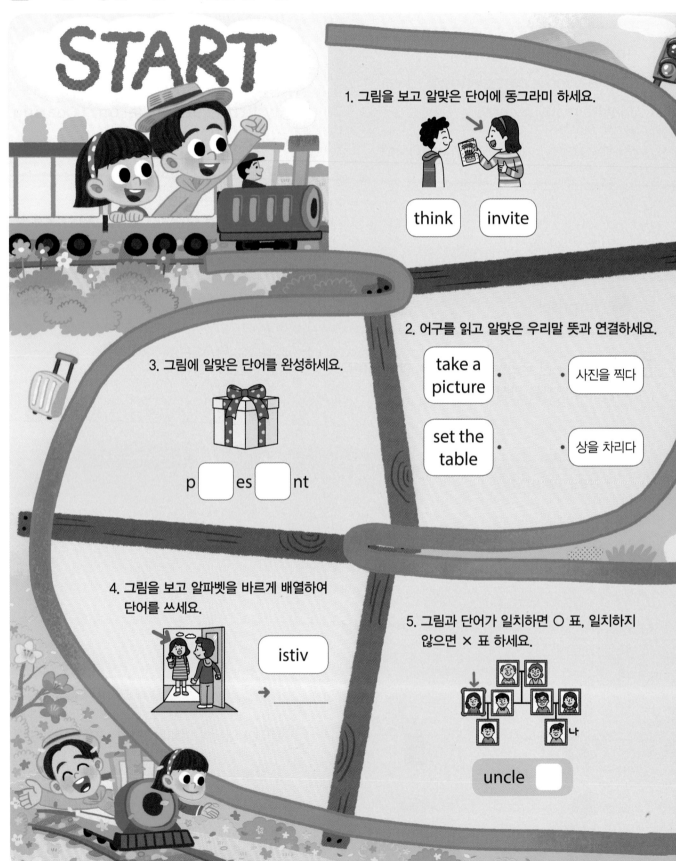

START

1. 그림을 보고 알맞은 단어에 동그라미 하세요.

think   invite

2. 어구를 읽고 알맞은 우리말 뜻과 연결하세요.

take a picture · · 사진을 찍다

set the table · · 상을 차리다

3. 그림에 알맞은 단어를 완성하세요.

p□es□nt

4. 그림을 보고 알파벳을 바르게 배열하여 단어를 쓰세요.

istiv → _____

5. 그림과 단어가 일치하면 ○ 표, 일치하지 않으면 × 표 하세요.

uncle □

8. 그림과 문장이 일치하면 ○ 표,
   일치하지 않으면 × 표 하세요.

Is she feeding the dog?

9. 우리말에 알맞은 문장에
   ✓ 표 하세요.

그녀는 꽃을 좋아하니?

Is she sleeping?

Does she like flowers?

7. 문장을 읽고 알맞은 그림에 동그라미
   하세요.

Is he washing the dog?

10. 우리말에 맞게 단어나 어구를 바르게
    배열하여 문장을 쓰세요.

우리는 선물을 열고 있어.

(are / the present / We /
opening)

→ _____

_____

6. 우리말에 맞게 괄호 안에서 알맞은 것을
   골라 동그라미 하세요.

나는 그녀를 도울 수 있어.

I can help (she / her).

FINISH

A 꽃잎에 적힌 알파벳을 어떤 규칙에 따라 배열하면 단어가 만들어져요. 단서 를 보고 규칙을 찾아 단어를 쓰세요.

단서

단어: **bake**

1.

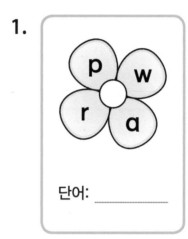

단어: _____

2.

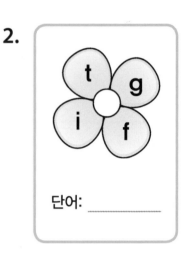

단어: _____

B 화살표를 따라가며 그림에 알맞은 단어를 완성하고, 까오가 숨어 있는 마지막 칸의 단어를 쓰세요.

← h ⬡ ⬡ r

↗ li ⬡ ⬡ t

↗ d ⬡ i ⬡ k

⬆ b ⬡ c k ⬡ a r d

↘ 까오가 숨어 있는 칸의 단어:

_____

출발

C 우리말에 맞게 문장을 쓸 때 필요하지 않은 것에 동그라미 한 후, 동그라미 한 단어로 문장을 완성하세요.

1.

그는 개의 털을 빗질하고 있니?

brushing
Is
he
hair
Does
?
the dog's

2.

나는 그를 도울 수 있어.

he
help
I
can
him
.

3.

우리는 사진을 찍고 있어.

We
pictures
taking
.
are
like

4.

그녀는 초콜릿을 좋아하니?

like
Does
she
chocolate
mugs
?

➡ _____ ?

Step A

그림 단서를 보고 보기 에서 알맞은 단어를 골라 퍼즐을 완성하세요.

보기 visit   aunt   little   uncle

❶
❷
❸
❹

Step B

Step A 의 단어를 사용하여 글을 완성하세요.

It is New Year's Eve.

My _____'s family

_____s us.

My _____ cousin, Jason, is

eating cookies.

Does he like cookies?

Yes, he loves them.

It is 11:59 p.m.

We are watching TV together.

My _____ says, "Jason,

let's count down!"

Look! Is he sleeping?

Step C

단서 를 보고 암호를 풀어 문장을 쓰세요.

단서 ♠ = like ⊙ = he ☆ = Is ◑ = Does

1. ☆ ⊙ sleeping?

_____

그는 자고 있니?

2. ◑ ⊙ ♠ cookies?

_____

그는 쿠키를 좋아하니?

창의 서술형

✏ 여러분의 크리스마스이브를 소개하는 글을 완성하세요.

It is Christmas Eve.

My family and I are happy.

It is 8 p.m.

My _____ is _____

_____.

Does _____ like _____?

Yes, _____ loves them.

My mom says, "Merry Christmas!"

재미있는 이야기로 이번 주에 공부할 내용을 알아보세요.

Ⓐ

● 여러분의 방 안에 있는 물건에 모두 ✔ 표 해 보세요.

Is there a/an ~? ~가 있니?

bed

lamp

carpet

vase

alarm clock

B

여기가 새로 이사한 집이구나.
응, 어때? 내가 직접 꾸몄어.

부엌에 왜 소파가 있어?
요리하다가 피곤하면 쉬어야 해.

침실에 왜 욕조가 있어?
욕조에서 잠이 잘 오거든.

3
주

◉ 각 물건과 어울리는 장소를 연결해 보세요.

There is a ... in the ~. ~에 …가 있어.

❶
refrigerator

❷
bed

❸
sofa

ⓐ
bedroom

ⓑ
living room

ⓒ
kitchen

답  ①-c, ②-a, ③-b

물리는 어디 있니?

집 안 장소

Where Is Molly?

🎁 **재미있는 이야기로 오늘 읽을 글의 내용을 생각해 보세요.**

New Words

오늘 배울 단어를 듣고 써 보세요.

living room 거실

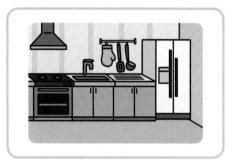

kitchen 부엌

bathroom 화장실, 욕실

bedroom 침실, 방

missing 없어진

vase 꽃병

Where Is Molly?

Q 고양이 몰리는 어디에 있을까요?

Peter's cat, Molly, is missing.

Peter can't find her.

Where is she?

Is she in the living room?

Is she in the kitchen?

Is she in the bathroom?

No, she isn't there.

She is in the bedroom.

She is sleeping in the vase.

하루 구문

Be동사 + 주어 + in the + 방 이름? …는 ～에 있니?

주어가 집 안의 어느 장소에 있는지 묻는 표현이에요. 어떤 공간 안에 있을 때는 in을 써요.

동물도 사람처럼 암컷이면 대명사를 she로, 수컷이면 he로 나타낼 수 있어요.

Let's Check

▶정답 15쪽

 글의 내용과 일치하도록 빈칸에 알맞은 것을 고르세요.

1. Molly is a _____.

   ⓐ dog   ⓑ cat   ⓒ toy

2. Molly is in the _____.

   ⓐ bedroom   ⓑ bathroom   ⓒ living room

B 그림에 알맞은 문장을 연결하세요.

1.

   Is she in the kitchen?

2.

   Peter's cat is missing.

3.

   She is sleeping in the vase.

Let's Practice 집중 연습

A 그림에 알맞은 단어를 연결하세요.

1.

2.

3.

bathroom   bedroom   vase

B 그림에 알맞은 단어를 보기 에서 골라 문장을 완성하세요.

보기   living room   missing   kitchen

1.

Is he in the _____?

2.

Is she in the _____?

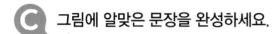
C 그림에 알맞은 문장을 완성하세요.

1.

_____ the kitchen?

그는 부엌에 계시니?

2.

_____ the bedroom?

그녀는 침실에 계시니?

3
주

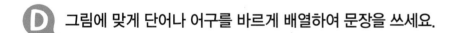
D 그림에 맞게 단어나 어구를 바르게 배열하여 문장을 쓰세요.

1.

(he / the bathroom / Is / in)

_____

그는 화장실에 있니?

2.

(the living room / in / Is / she)

_____

그녀는 거실에 있니?

지저분한 방

방 안 물건

Messy Room

📦 **재미있는 이야기로 오늘 읽을 글의 내용을 생각해 보세요.**

New Words 오늘 배울 단어를 듣고 써 보세요.

bed 침대

lamp 램프

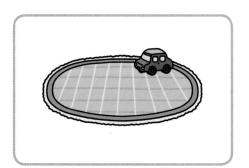

carpet 카펫

alarm clock 자명종

messy 지저분한, 엉망인

clean 청소하다

Messy Room

Q 루시의 방에는 무엇이 있을까요?

This is Lucy's bedroom.

It looks messy.

Lucy doesn't clean it.

What does she have in her room?

Is there a bed?

Is there a lamp?

Is there a carpet?

Is there a picture?

Is there an alarm clock?

What else can you find?

하루 구문

Is there a/an + 명사? ~가 있니?

어떤 것(주어)이 있는지 묻는 표현이에요. 이때 문장의 주어는 「a/an + 명사」이고, a나 an은 뒤에 오는 명사가 단수(하나, 한 개)일 때 써요.

Is there ~?로 물을 때 주어가 있으면 Yes, there is., 없으면 No, there is not.이라고 대답해요.

Let's Check

▶정답 16쪽

 문장을 읽고 글의 내용과 일치하면 T, 일치하지 않으면 F 에 동그라미 하세요.

1. Lucy's kitchen is messy.

2. Lucy cleans her bedroom.

3. There is a lamp in Lucy's bedroom.

 그림에 알맞은 문장을 연결하세요.

1.

Is there a bed?

2.

Is there a carpet?

3.

Lucy doesn't clean it.

Let's Practice 집중 연습

 그림에 알맞은 단어를 연결하세요.

1.    **2.**    **3.**

messy   clean   alarm clock

B 그림에 알맞은 단어를 보기 에서 골라 문장을 완성하세요.

보기   carpet   bed   lamp

1.    Is there a _____?

2.    Is there a _____?

C 그림에 알맞은 문장을 완성하세요.

1.

_____ _____ _____ lamp?

램프가 있니?

2.

_____ _____ _____ picture?

그림이 있니?

D 그림에 맞게 단어를 바르게 배열하여 문장을 쓰세요.

1.

(there / carpet / Is / a)

_____

카펫이 있니?

2.

(an / Is / alarm clock / there)

_____

자명종이 있니?

소파 위에

물건의 위치

On the Sofa

🎁 **재미있는 이야기로 오늘 읽을 글의 내용을 생각해 보세요.**

New Words 오늘 배울 단어를 듣고 써 보세요.

in ~ 안에

on ~ 위에

under ~ 아래에

sofa 소파

basket 바구니

blanket 담요

On the Sofa

Q 그림 속 거실에서 공, 사과, 개의 위치는 어디일까요?

We have a nice living room.

There is a ball on the sofa.
There is an apple in the basket.
There is a dog under the blanket.

The living room is not big.
But we love this place.
We talk and laugh here.

하루 구문

There is + 주어 + in/on/under the + 명사.
…의 안/위/아래에 ~가 있어.

주어인 「a/an＋명사」가 어디에 있다고 위치를 말하는 표현이에요. 이때
in, on, under와 같이 위치를 나타내는 말을 '전치사'라고 불러요.

시각 앞에 쓰는 at과 요일 앞에
쓰는 on도 전치사예요. at 9 o'clock
(9시에), on Sunday (일요일에)

Let's Check

▶정답 17쪽

A 글의 내용과 일치하도록 빈칸에 알맞은 것을 고르세요.

1. There is _____ in the basket.

   ⓐ a ball   ⓑ a dog   ⓒ an apple

2. The family has a _____ living room.

   ⓐ big   ⓑ small   ⓒ messy

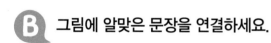

B 그림에 알맞은 문장을 연결하세요.

1.

     We talk and laugh here.

2.

     We have a nice living room.

3.

     There is a ball on the sofa.

Let's Practice 집중 연습

 그림에 알맞은 단어를 연결하세요.

1.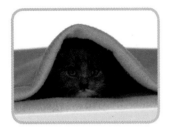

2.

3.

in

on

under

B 그림에 알맞은 단어를 보기 에서 골라 문장을 완성하세요.

보기　**blanket　　basket　　sofa**

1.

There is a ball on the ＿＿＿＿＿＿.

2.

There is a dog under the ＿＿＿＿＿＿.

▶정답 17쪽

C 그림에 알맞은 문장을 완성하세요.

1.

There is a ball ____ the sofa.

소파 위에 공이 한 개 있어.

2.

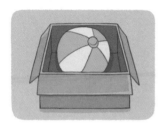

There is a ball ____ the box.

상자 안에 공이 한 개 있어.

D 그림에 맞게 단어나 어구를 바르게 배열하여 문장을 쓰세요.

1.

(a dog / is / under the blanket / There)

담요 아래에 개가 한 마리 있어.

2.

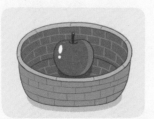

(is / in the basket / There / an apple)

바구니 안에 사과가 한 개 있어.

집에서

하고 있는 일

At Home

🎁 재미있는 이야기로 오늘 읽을 글의 내용을 생각해 보세요.

New Words   오늘 배울 단어를 듣고 써 보세요.

sit 앉다

exercise 운동하다

use 사용하다

homework 숙제

phone 전화기

wall 벽

At Home

Q 그림 속 가족들은 어떤 행동을 하고 있을까요?

What is my family doing?

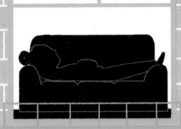

Mom is not sleeping.

She is listening to music.

Dad is not just sitting on a chair.

He is exercising.

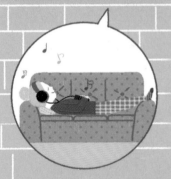

Paul is not doing his homework.

He is using his phone.

Sally is not cleaning the window.

She is painting the wall.

하루 구문

주어 + be동사 + not + 동사원형ing ~.

···는 ~하고 있지 않아.

주어가 어떤 행동을 하고 있지 않다고 말하는 현재진행형의 부정문이에요.

be동사의 부정문은 be동사 뒤에 not을 써서 나타내요.

sit처럼 「단모음+단자음」으로 끝나는
동사는 마지막 자음을 한 번 더 쓰고
ing를 붙여요. sit → sitting

Let's Check

▶정답 18쪽

 글의 내용과 일치하도록 괄호 안에서 알맞은 것을 골라 동그라미 하세요.

1. The mom is (sleeping / listening to music).

2. Paul is (using his phone / doing his homework).

3. Sally is painting the (chair / wall).

3주

 그림에 알맞은 문장을 연결하세요.

1.    ·   ·   He is exercising.

2.    ·   ·   She is listening to music.

3.    ·   ·   Sally is not cleaning the window.

Let's Practice 집중 연습

 A 그림에 알맞은 단어를 연결하세요.

1.

2.

3.

sit   exercise   phone

B 그림에 알맞은 단어를 보기 에서 골라 문장을 완성하세요.

보기   use   homework   wall

1.

She is painting the _____ .

2.

Paul is not doing his _____ .

▶정답 18쪽

C 그림에 알맞은 문장을 완성하세요.

1.

Mom ____ ____ sleeping.

엄마는 주무시고 계시지 않아.

2.

Dad ____ ____ sitting on a chair.

아빠는 의자에 앉아 계시지 않아.

D 그림에 맞게 단어나 어구를 바르게 배열하여 문장을 쓰세요.

1.

(not / Ted / doing his homework / is)

테드는 숙제를 하고 있지 않아.

2.

(is / cleaning the window / not / Ann)

앤은 창문을 청소하고 있지 않아.

조이의 부엌

Zoey's Kitchen 1~4일 복습

🎁 재미있는 이야기로 오늘 읽을 글의 내용을 생각해 보세요.

New Words · 오늘 배울 단어를 듣고 써 보세요.

refrigerator 냉장고

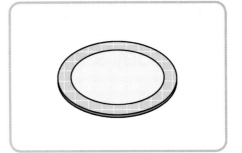

dish 접시

oven 오븐

fix 수리하다, 고치다

tiny 아주 작은

huge 거대한, 아주 큰

Zoey's Kitchen

Q 악어 조이의 냉장고 안에는 무엇이 있을까요?

I see Zoey's kitchen.
It is tiny.

Is there a refrigerator?

Yes. It is huge.
There is a cake in the box.
There is some cheese on the dish.

Is Zoey in the kitchen?

Yes. But she is not cooking.
She is fixing the oven.

하루 구문 복습!

Be동사 + 주어 + in the + 방 이름? …는 ～에 있니?
Is there a/an + 명사? ～가 있니?
There is + 주어 + in/on/under the + 명사. …의 안/위/아래에 ～가 있어.
주어 + be동사 + not + 동사원형ing ～. …는 ～하고 있지 않아.

Let's Check

▶정답 19쪽

A 문장을 읽고 글의 내용과 일치하면 **T**, 일치하지 않으면 **F**에 동그라미 하세요.

1. Zoey's kitchen is very small.

2. There is a refrigerator in Zoey's kitchen.

3. Zoey is cooking.

3
주

B 그림에 알맞은 문장을 연결하세요.

1.

· · She is fixing the oven.

2.

· · There is a cake in the box.

3.

· · There is some cheese on the dish.

Let's Practice 집중 연습

 A 그림에 알맞은 단어를 연결하세요.

1.

2.

3.

fix

dish

refrigerator

B 그림에 알맞은 단어를 보기 에서 골라 문장을 완성하세요.

보기　　oven　　tiny　　huge

1.

It is _____.

2.

She is fixing the _____.

C 그림에 알맞은 문장을 완성하세요.

1.

   She _____ .

   그녀는 요리를 하고 있지 않아.

2.

   _____ the kitchen?

   그는 부엌에 계시니?

D 그림에 맞게 단어나 어구를 바르게 배열하여 문장을 쓰세요.

1.

   (is / in the box / There / a cake)

   _____

   상자 안에 케이크가 있어.

2.

   (there / Is / refrigerator / a)

   _____

   냉장고가 있니?

1 단어에 알맞은 그림을 고르세요.

bed

① ②

③ ④

2 그림에 알맞은 단어를 고르세요.

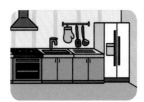

① kitchen
② bathroom
③ bedroom
④ living room

3 우리말에 맞게 빈칸에 알맞은 말이 순서대로 짝 지어진 것을 고르세요.

소파 위에 공이 한 개 있어.
There _____ a ball _____ the sofa.

① is – in
② is – on
③ are – on
④ are – under

4 그림을 보고, 알맞은 문장의 기호를 쓰세요.

ⓐ Is he in the bathroom?
ⓑ Is there an alarm clock?
ⓒ She is not sitting on a chair.

(1)  (2)

[5~6] 다음 글을 읽고, 물음에 답하세요.

> We have a nice living room.
>
> There is a ball on the sofa.
>
> _____
>
> There is a dog under the blanket.
>
> The living room is not big.
> But we love this place.
> We talk and laugh here.

5 그림에 맞게 윗글의 빈칸에 알맞은 문장을 완성하세요.

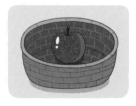

> There _____ an apple _____ the basket.

6 윗글의 내용과 일치하지 <u>않는</u> 것을 고르세요.

① 거실을 소개하는 글이다.

② 개는 담요 아래에 있다.

③ 거실은 매우 크고 멋지다.

④ 글쓴이와 가족은 거실을 매우 좋아한다.

[7~8] 다음 글을 읽고, 물음에 답하세요.

> What is my family doing?
>
> Mom is not sleeping.
> She is listening to music.
> Dad is not just sitting on a chair.
> He is exercising.
>
> <u>폴은 숙제를 하고 있지 않아.</u>
> He is using his phone.
> Sally is not cleaning the window.
> She is painting the wall.

7 윗글의 밑줄 친 우리말에 맞게 문장을 완성하세요.

> Paul _____ _____ _____ his homework.

8 윗글의 가족과 그들이 하고 있는 행동이 바르게 짝 지어지지 <u>않은</u> 것을 고르세요.

① 엄마 – 음악 듣기

② 아빠 – 운동

③ 폴 – 전화기 사용

④ 샐리 – 창문 청소

🧩 배운 내용을 떠올리며 말판 놀이를 해 보세요.

1. 그림을 보고 알맞은 단어에 동그라미 하세요.

messy	missing

3. 단어를 읽고 알맞은 우리말 뜻과 연결하세요.

on	·	·	~ 안에
in	·	·	~ 위에

2. 그림에 알맞은 단어를 완성하세요.

[ ] arp [ ] t

4. 그림을 보고 알파벳을 바르게 배열하여 단어를 쓰세요.

ixresece

→ _____

5. 그림과 단어가 일치하면 〇 표, 일치하지 않으면 × 표 하세요.

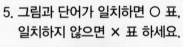

basket [ ]

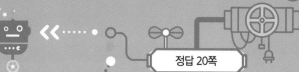

8. 그림을 보고 알맞은 문장에 ✓ 표 하세요.

Is there a lamp? ☐

Mom is not sleeping. ☐

9. 그림과 문장이 일치하면 ○ 표, 일치하지 않으면 × 표 하세요.

He is not doing his homework. ☐

7. 우리말에 맞게 문장을 완성하세요.

소파 아래에 공이 한 개 있어.

_____ _____ a ball
_____ the sofa.

10. 우리말에 맞게 단어나 어구를 바르게 배열하여 문장을 쓰세요.

그는 부엌에 있니?

(in / Is / the kitchen / he)
➜ _____
_____

6. 문장을 읽고 알맞은 그림에 동그라미 하세요.

Is she in the living room?

A 레오가 말하는 알파벳을 순서대로 빙고판에 표시하여 한 줄 빙고를 만든 후, 완성된 단어를 쓰세요.

c	w	o	f	p
b	l	h	m	s
k	x	e	v	g
j	d	q	a	r
t	y	u	i	n

p → c → o → l → e
t → a → g → n → k

☐ ☐ ☐ ☐ ☐

B 단서 를 보고 단어를 완성한 후, 색깔이 같은 네모 안의 알파벳을 모아 문장을 완성하세요.

1. w a ☐ l

2. ☐ h o n e

3. b ☐ s k e t

4. h o ☐ e w o r k

Is there a ☐ ☐ ☐ ☐ ?

C

까오가 레오를 만나려면 미로를 통과해야 해요. 단어 순서대로 그림을 따라가며 미로를 빠져나가 보세요.

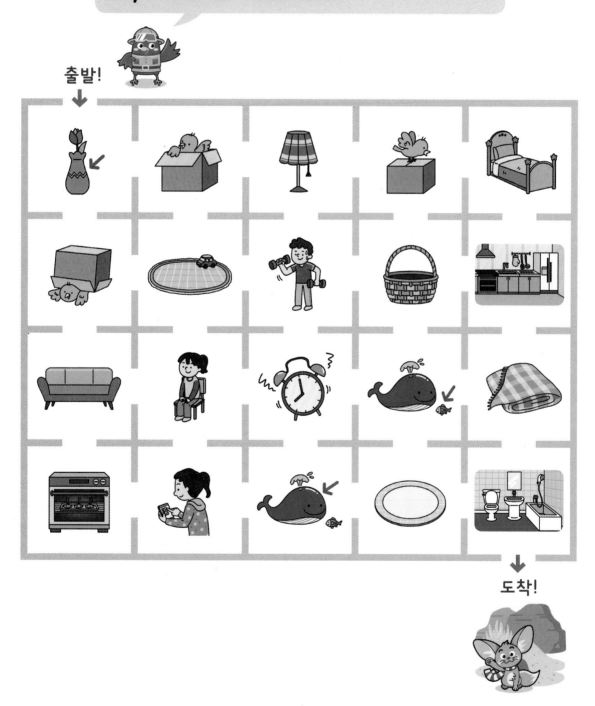

vase → under → carpet → sit → alarm clock →
tiny → blanket → bathroom

출발!

도착!

Step A 그림 단서를 보고 보기 에서 알맞은 단어를 골라 퍼즐을 완성하세요.

보기 refrigerator fix dish huge

❶
❷
❸ ❹

Step B Step A 의 단어를 사용하여 글을 완성하세요.

I see Zoey's kitchen.

It is tiny.

Is there a _____ ?

Yes. It is _____ .

There is a cake in the box.

There is some cheese on the _____ .

Is Zoey in the kitchen?

Yes. But she is not cooking.

She is _____ ing the oven.

Step C

단서 를 보고 암호를 풀어 문장을 쓰세요.

단서   ♡ = Is   ♣ = not   ◈ = there   ▣ = is

1.   She ▣ ♣ cooking.

_____

_____

_____

그녀는 요리를 하고 있지 않아.

2.   ♡ ◈ a refrigerator?

_____

_____

_____

냉장고가 있니?

창의 서술형

✎ 괴물 친구 몬티의 부엌을 상상하며 글을 완성하세요.

I see Monti's kitchen.

There is _____ _____

in the _____.

There is _____ _____

on the _____.

Is Monti in the kitchen?

Yes. But he is not cooking.

He is _____.

4주

4주에는 무엇을 공부할까? ①

재미있는 이야기로 이번 주에 공부할 내용을 알아보세요.

 A

◉ 여러분의 마을에 없는 것에 모두 ✕ 표 해 보세요.

> ## There is not a ~. ～가 없어.

zoo

museum

bakery

library

restaurant

gallery

B

◉ 각 직업과 어울리는 그림을 연결해 보세요.

A /An + 명사 + 일반동사(e)s ~. ···는 ~해.

doctor

firefighter

❸

baker

ⓐ

ⓑ

ⓒ

답 ❶-c, ❷-b, ❸-a

New Words 오늘 배울 단어를 듣고 써 보세요.

zoo 동물원

museum 박물관

bakery 빵집

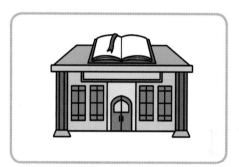

library 도서관

town 마을, 동네

borrow 빌리다

My Town

Q 그림 속 마을에 없는 것은 무엇일까요?

I live in a small town.

There is not a zoo.

There is not a museum.

There is not a bakery.

But there is a library.

You can borrow books here.

There is a park.

You can have a picnic here.

I love my town.

There is not a/an + 명사. ~가 없어.

주어인 「a/an+명사」가 없다고 말하는 부정문이에요. 이때 There은
진짜 주어가 아니기 때문에 '거기에' 혹은 '그곳에'라고 해석하지 않아요.

There is를 줄여서 There's라고
쓰기도 하고, is not을 줄여서
isn't로 쓰기도 해요.

Let's Check

▶정답 22쪽

 글의 내용과 일치하도록 빈칸에 알맞은 것을 고르세요.

1. You can borrow books from the _____.

   ⓐ library   ⓑ bakery   ⓒ zoo

2. There is a _____ in the town.

   ⓐ zoo   ⓑ museum   ⓒ park

B 그림에 알맞은 문장을 연결하세요.

1.  •   • There is a library.

2.  •   • There is not a bakery.

3.  •   • You can have a picnic here.

Let's Practice 집중 연습

 그림에 알맞은 단어를 연결하세요.

1.

2.

3.

bakery   town   museum

B 그림에 알맞은 단어를 보기 에서 골라 문장을 완성하세요.

보기   borrow   zoo   library

1.

There is a _____ .

2.

You can _____ books here.

C 그림에 알맞은 문장을 완성하세요.

1.

_____ _____ _____ a zoo.

동물원이 없어.

2.

_____ _____ _____ a library.

도서관이 없어.

D 그림에 맞게 단어나 어구를 바르게 배열하여 문장을 쓰세요.

1.

(not / There / a bakery / is)

- - - - - - - - - - - - - - - - - - - -

빵집이 없어.

2.

(is / a museum / not / There)

- - - - - - - - - - - - - - - - - - - -

박물관이 없어.

다양한 직업

Different Jobs

직업

🎁 재미있는 이야기로 오늘 읽을 글의 내용을 생각해 보세요.

New Words 오늘 배울 단어를 듣고 써 보세요.

doctor 의사

police officer 경찰관

firefighter 소방관

baker 제빵사

sick 아픈

fire 불, 화재

Different Jobs

Q 그림에 소개된 직업을 가진 사람들은 어떤 일을 할까요?

There are many people in your town.

And they have different jobs.

A doctor helps sick people.

A police officer catches bad people.

A firefighter puts out fires.

A baker bakes cakes and bread.

They do different jobs.

But they are all important.

하루 구문

A/An + 명사 + 일반동사(e)s ~. …는 ~해.

주어가 「A/An + 명사」와 같이 3인칭 단수인 경우 일반동사의 끝에 s나 es를 붙여야 해요. 이때 대부분의 일반동사는 s를 붙이는데, catch와 같이 -ch로 끝나는 동사는 es를 붙여요.

-sh, -o, -x, -s로 끝나는 일반동사도 끝에 es를 붙여요. wash → washes, go → goes, fix → fixes, pass → passes

Let's Check

▶정답 23쪽

A 문장을 읽고 글의 내용과 일치하면 T, 일치하지 않으면 F 에 동그라미 하세요.

1. People have different jobs.

2. A doctor catches bad people.

3. A baker bakes cakes and bread.

4
주

B 그림에 알맞은 문장을 연결하세요.

1.

   · · A doctor helps sick people.

2.

   · · A firefighter puts out fires.

3.

   · · There are many people in your town.

Let's Practice 집중 연습

A 그림에 알맞은 단어를 연결하세요.

1.

2.

3.

doctor   baker   fire

B 그림에 알맞은 단어를 보기 에서 골라 문장을 완성하세요.

보기   firefighter   sick   police officer

1.

A doctor helps _____ people.

2.

A _____ puts out fires.

▶정답 23쪽

C 그림에 알맞은 문장을 완성하세요.

1.

doctor　　sick people.

의사는 아픈 사람들을 도와줘.

2.

firefighter　　out fires.

소방관은 불을 꺼.

D 그림에 맞게 단어나 어구를 바르게 배열하여 문장을 쓰세요.

1.

(bakes / A / cakes and bread / baker)

제빵사는 케이크와 빵을 구워.

2.

(catches / police officer / bad people / A)

경찰관은 나쁜 사람들을 잡아.

똑똑한 하루

3일
Reading

지하철을 타고

교통수단

By Subway

📦 재미있는 이야기로 오늘 읽을 글의 내용을 생각해 보세요.

자동차, 버스, 지하철…. 교통수단이 다양하구나.

그렇지. 나처럼 매일 걸어서 학교에 가기도 하고.

안녕~

서준이는 자전거를 타고 학교에 가네.

따르릉~ 따르릉~

다인이는 엄마가 자동차로 데려다주셔.

체육 선생님은 지하철로, 과학 선생님은 기차로 학교에 오시지.

천재역

저기 봐. 교장 선생님이 늦으셨나 봐. 택시를 타고 오셨어.

TAXI

천재초등학교

야, 우리가 지각이야!

딩동♪

철푸덕

뜨 헉 다 다 다

후다닥

교장 선생님, 서두르세요!

New Words
오늘 배울 단어나 어구를 듣고 써 보세요.

car 자동차

subway 지하철

train 기차

taxi 택시

late 늦은

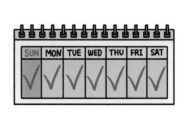

every day 매일

By Subway

Q 그림 속 사람들이 이용하는 교통수단은 무엇일까요?

How do you go to school?

I walk to school every day.

Amy goes to school by bike.

Eric goes to school by car.

Mr. Green comes by subway.

Ms. Brown comes by train.

Look! Mr. Jones is late!

He comes here by taxi.

Hurry, Mr. Jones!

TAXI

하루 구문

by + 탈것 ~로, ~를 타고

교통수단을 나타내는 표현이에요. 이때 by는 방법을 나타내는
전치사로, 뒤에 a나 an을 쓰지 않는다는 것에 주의해야 해요.
by a bike (×)

영국에서는 지하철을
underground 혹은 tube라고
말해요.

Let's Check

▶정답 24쪽

 글의 내용과 일치하도록 괄호 안에서 알맞은 것을 골라 동그라미 하세요.

1. Eric goes to school by (car / bike).

2. Mr. Green comes by (taxi / subway).

3. Mr. Jones is (hungry / late).

B 그림에 알맞은 문장을 연결하세요.

1.  •   • Ms. Brown comes by train.

2.  •   • I walk to school every day.

3.  •   • Amy goes to school by bike.

Let's Practice 집중 연습

 그림에 알맞은 단어를 연결하세요.

1.

2.

3.

train

taxi

late

B 그림에 알맞은 단어나 어구를 보기 에서 골라 문장을 완성하세요.

보기   car   subway   every day

1.

I walk to school _____.

2.

Mr. Green comes by _____.

그림에 알맞은 문장을 완성하세요.

1.

He comes here   .

그는 기차를 타고 이곳에 오셔.

2.

She goes to school   .

그녀는 자동차를 타고 학교에 가.

 그림에 맞게 단어나 어구를 바르게 배열하여 문장을 쓰세요.

1.

(goes to school / Ted / by subway)

테드는 지하철을 타고 학교에 가.

2.

(by taxi / Ms. Davis / comes here)

데이비스 선생님은 택시를 타고 이곳에 오셔.

미술관에서

At the Gallery

공공 예절

🎁 **재미있는 이야기로 오늘 읽을 글의 내용을 생각해 보세요.**

New Words 오늘 배울 단어를 듣고 써 보세요.

city 도시

gallery 미술관

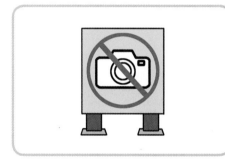

sign 표지판

painting 그림

wonderful 훌륭한, 멋진

inside ~ 안에

At the Gallery

Q 미술관에서 하면 안 되는 행동은 무엇일까요?

There is a wonderful gallery in my city.

Sam and I love art.

We visit the gallery.

Inside the gallery, there is a sign.

We read it together.

 Do not run.

 Do not eat or drink.

 Do not touch the paintings.

 Do not take pictures.

Okay!

 하루 구문

Do not + 동사원형 ~. ~하지 마.

상대방에게 어떤 행동을 하면 안 된다고 금지하는 표현으로, '부정명령문' 이라고 불러요. 이때 Do not은 Don't로 줄여 쓸 수 있어요.

> 어떤 행동을 하라고 명령하는 문장을 '명령문'이라고 하는데, 동사원형으로 시작해요.

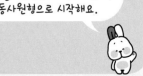

Let's Check

▶정답 25쪽

A 글의 내용과 일치하도록 빈칸에 알맞은 것을 고르세요.

1. There is a wonderful _____ in the city.

   ⓐ park   ⓑ gallery   ⓒ library

2. The children read the _____ together.

   ⓐ book   ⓑ card   ⓒ sign

4 주

B 그림에 알맞은 문장을 연결하세요.

1.    •   •   Do not run.

2.    •   •   We visit the gallery.

3.    •   •   Inside the gallery, there is a sign.

 A 그림에 알맞은 단어를 연결하세요.

1.

2.

3.

city

painting

gallery

B 그림에 알맞은 단어를 보기에서 골라 문장을 완성하세요.

보기   sign   inside   wonderful

1.

There is a _____ gallery in my city.

2.

Inside the gallery, there is a _____.

그림에 알맞은 문장을 완성하세요.

1.

_____ _____ run.

뛰지 마시오.

2.

_____ _____ eat or drink.

먹거나 마시지 마시오.

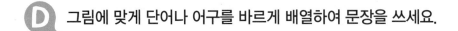

D 그림에 맞게 단어나 어구를 바르게 배열하여 문장을 쓰세요.

1.

(not / take pictures / Do)
_____

사진을 찍지 마시오.

2.

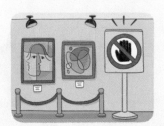

(touch / Do / the paintings / not)
_____

그림을 만지지 마시오.

좋은 이웃들

Good Neighbors 1~4일 복습

📦 **재미있는 이야기로 오늘 읽을 글의 내용을 생각해 보세요.**

New Words 오늘 배울 단어를 듣고 써 보세요.

9

ship 배

_____

airplane 비행기

_____

shop 가게, 상점

_____

restaurant 식당

_____

worry 걱정하다

_____

alone 혼자

_____

Good Neighbors

Q 이웃들은 고양이 루이스를 어떻게 도와줄까요?

Louis lives alone.

There is not a kitchen in his house.

But do not worry.

His neighbors help him.

For breakfast, he goes to a fish shop by ship.

For lunch, he goes to a restaurant by airplane.

For dinner, he walks to my house.

하루 구문 복습!

There is not a/an + 명사.
~가 없어.

by + 탈것
~로, ~를 타고

A/An + 명사 + 일반동사(e)s ~.
…는 ~해.

Do not + 동사원형 ~.
~하지 마.

Let's Check

▶정답 26쪽

A 문장을 읽고 글의 내용과 일치하면 **T**, 일치하지 않으면 **F**에 동그라미 하세요.

1. Louis lives with his family.

2. For breakfast, Louis goes to a fish shop by ship.

3. For lunch, Louis goes to a restaurant by bus.

4
주

B 그림에 알맞은 문장을 연결하세요.

1.

His neighbors help him.

2.

For dinner, he walks to my house.

3.

There is not a kitchen in his house.

Let's Practice 집중 연습

 그림에 알맞은 단어를 연결하세요.

1.

2.

3.

airplane   worry   ship

 그림에 알맞은 단어를 보기에서 골라 문장을 완성하세요.

보기   restaurant   alone   shop

1.

He goes to a fish _____ by ship.

2.

He goes to a _____ by airplane.

C 그림에 알맞은 문장을 완성하세요.

1.

_____ worry.

걱정하지 마.

2.

He goes there _____.

그는 배를 타고 그곳으로 가.

D 그림에 맞게 단어나 어구를 바르게 배열하여 문장을 쓰세요.

1.

(a kitchen / There is / in her house / not)

_____

그녀의 집에는 부엌이 없어.

2.

(to a restaurant / He / by airplane / goes)

_____

그는 비행기를 타고 식당에 가.

1 단어에 알맞은 그림을 고르세요.

museum

① ②

③ ④

2 그림에 알맞은 단어를 고르세요.

① baker
② doctor
③ firefighter
④ police officer

3 우리말에 맞게 빈칸에 알맞은 것을 고르세요.

> 브라운 선생님은 기차를 타고 오셔.
> Ms. Brown comes _____ train.

① in
② by
③ on
④ at

4 그림을 보고, 알맞은 문장의 기호를 쓰세요.

> ⓐ There is not a library.
> ⓑ Do not take pictures.
> ⓒ A doctor helps sick people.

(1) (2)

[5~6] 다음 글을 읽고, 물음에 답하세요.

There are many people in your town.
And they have different jobs.

A doctor helps sick people.
A police officer <u>catch</u> bad people.
A firefighter puts out fires.
A baker bakes cakes and bread.

They do different jobs.
But they are all important.

5 윗글의 밑줄 친 <u>catch</u>를 바르게 고쳐 쓰세요.

catch → _____

6 윗글에 소개된 직업이 <u>아닌</u> 것을 고르세요.

①   ②

③    ④

[7~8] 다음 글을 읽고, 물음에 답하세요.

Louis lives alone.
There is not a kitchen in his house.
그렇지만 걱정하지 마.
His neighbors help him.

For breakfast, he goes to a fish shop by ship.
For lunch, he goes to a restaurant by airplane.
For dinner, he walks to my house.

7 윗글의 밑줄 친 우리말에 맞게 문장을 완성하세요.

But _____ _____ worry.

8 윗글의 루이스에 관한 내용과 일치하지 <u>않는</u> 것을 고르세요.

① 혼자 산다.

② 그의 집에는 부엌이 없다.

③ 이웃에게서 도움을 받는다.

④ 생선 가게에서 점심을 먹는다.

배운 내용을 떠올리며 말판 놀이를 해 보세요.

START

1. 그림을 보고 알맞은 단어에 동그라미 하세요.

library   bakery

9. 그림과 문장이 일치하면 ○ 표, 일치하지 않으면 × 표 하세요.

He comes by taxi.

8. 우리말에 맞게 괄호 안에서 알맞은 것을 골라 동그라미 하세요.

제빵사는 빵을 구워.

A baker (bake / bakes) bread.

7. 그림을 보고 알맞은 문장에 ✓ 표 하세요.

Do not run.

Do not eat or drink.

6. 문장을 읽고 알맞은 그림에 동그라미 하세요.

There is not a museum.

×   ×

정답 27쪽

2. 그림에 알맞은 단어를 완성하세요.

bo ☐ r ☐ w

3. 단어를 읽고 알맞은 우리말 뜻과 연결하세요.

gallery •　　• 도시

city •　　• 미술관

10. 우리말에 맞게 단어나 어구를 바르게 배열하여 문장을 쓰세요.

그림을 만지지 마시오.

(not / the paintings / Do / touch)

→ _____

4. 그림을 보고 알파벳을 바르게 배열하여 단어를 쓰세요.

yabswu → _____

5. 그림과 단어가 일치하면 ○ 표, 일치하지 않으면 × 표 하세요.

 restaurant ☐

A 쿠키 반죽이 오븐에서 구워지면 알파벳이 어떤 규칙에 의해 바뀌게 돼요. **단서**를 보고 규칙을 찾아 단어를 쓰세요.

1.
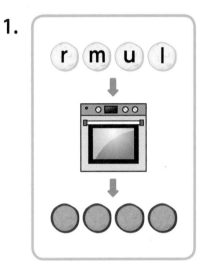

2.
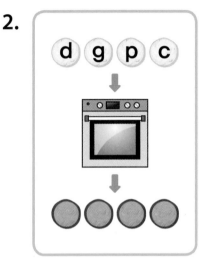

B 출발에서 도착까지 단어가 만들어지도록 칸을 이동한 후, 만든 단어로 문장을 완성하세요.

1.
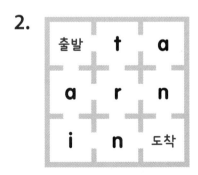

There is not a _____ .

2.

출발	t	a
a	r	n
i	n	도착

She comes here by _____ .

C 성격이 같은 것끼리 분류해 놓은 단어를 까오가 모두 섞어 버렸어요. 힌트 를 보고 알맞은 곳에 단어를 분류하여 쓰세요.

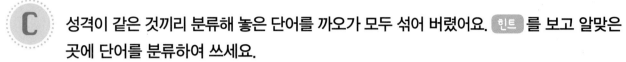

subway   library   baker   bakery

taxi

police officer   gallery   airplane

~~doctor~~

~~museum~~   firefighter

~~car~~

1.

museum	

2.

car	

3.

doctor	

Step A

그림 단서를 보고 보기 에서 알맞은 단어를 골라 퍼즐을 완성하세요.

보기   worry   ship   kitchen   airplane

Step B

Step A 의 단어를 사용하여 글을 완성하세요.

Louis lives alone.

There is not a _____ in his house.

But do not _____.

His neighbors help him.

For breakfast, he goes to a fish shop by 🚢 _____.

For lunch, he goes to a restaurant by ✈ _____.

For dinner, he walks to my house.

Step C

단서 를 보고 암호를 풀어 문장을 쓰세요.

단서   ♤ = is   ◆ = Do   ◑ = There   ▽ = not

1. ◆ ▽ worry.

_____

_ _

_____

걱정하지 마.

2. ◑ ♤ ▽ a kitchen in his house.

_____

_ _

_____

그의 집에는 부엌이 없어.

창의 서술형

🖉 루이스가 여러분의 친구라고 상상하며 글을 완성하세요.

Louis lives alone.

His neighbors help him.

For breakfast, he goes to a

fish shop _____ _____.

For lunch, he goes to a

restaurant _____ _____.

For dinner, he comes to my

house _____ _____.

1주 1일

- [ ] get up
  일어나다
- [ ] have breakfast
  아침을 먹다
- [ ] go to school
  학교에 가다
- [ ] have lunch
  점심을 먹다
- [ ] have dinner
  저녁을 먹다
- [ ] go to bed
  자다

1주 2일

- [ ] morning
  아침
- [ ] time for breakfast
  아침 먹을 시간
- [ ] time for school
  학교 갈 시간
- [ ] time for lunch
  점심 먹을 시간
- [ ] time for dinner
  저녁 먹을 시간
- [ ] time for bed
  잘 시간

1주 3일

- [ ] Monday
  월요일
- [ ] Tuesday
  화요일
- [ ] Wednesday
  수요일
- [ ] Thursday
  목요일
- [ ] Friday
  금요일
- [ ] P.E.
  체육

1주 4일

- [ ] Saturday
  토요일
- [ ] Sunday
  일요일
- [ ] study
  공부하다
- [ ] interesting
  재미있는
- [ ] activity
  활동
- [ ] lesson
  수업

1주 5일

- [ ] o'clock
  ~시(정각)
- [ ] hot dog
  핫도그
- [ ] afternoon
  오후
- [ ] evening
  저녁
- [ ] yoga
  요가
- [ ] easy
  쉬운

2주 1일

- [ ] invite 초대하다
- [ ] drink 마시다
- [ ] climb 오르다, 올라가다
- [ ] take a picture 사진을 찍다
- [ ] backyard 뒷마당
- [ ] present 선물

2주 2일

- [ ] hairpin 머리핀
- [ ] candle 양초
- [ ] mug 머그잔
- [ ] card 카드
- [ ] gift 선물
- [ ] think 생각하다

2주 3일

- [ ] Christmas 크리스마스
- [ ] busy 바쁜
- [ ] bake 굽다
- [ ] set the table 상을 차리다
- [ ] wrap 포장하다
- [ ] light 전등

2주 4일

- [ ] feed 먹이를 주다
- [ ] wash 씻다
- [ ] dry 말리다
- [ ] walk 산책시키다
- [ ] brush 빗질하다
- [ ] hair 털

2주 5일

- [ ] uncle 삼촌
- [ ] aunt 숙모
- [ ] visit 방문하다
- [ ] little 어린
- [ ] p.m. 오후
- [ ] watch TV 텔레비전을 보다

Words List

3주 1일

☐ living room 거실	☐ kitchen 부엌
☐ bathroom 화장실, 욕실	☐ bedroom 침실, 방
☐ missing 없어진	☐ vase 꽃병

3주 2일

☐ bed 침대	☐ lamp 램프
☐ carpet 카펫	☐ alarm clock 자명종
☐ messy 지저분한, 엉망인	☐ clean 청소하다

3주 3일

☐ in ~ 안에	☐ on ~ 위에
☐ under ~ 아래에	☐ sofa 소파
☐ basket 바구니	☐ blanket 담요

3주 4일

☐ sit 앉다	☐ exercise 운동하다
☐ use 사용하다	☐ homework 숙제
☐ phone 전화기	☐ wall 벽

3주 5일

☐ refrigerator 냉장고	☐ dish 접시
☐ oven 오븐	☐ fix 수리하다, 고치다
☐ tiny 아주 작은	☐ huge 거대한, 아주 큰

4주 1일

☐ **zoo**
동물원

☐ **museum**
박물관

☐ **bakery**
빵집

☐ **library**
도서관

☐ **town**
마을, 동네

☐ **borrow**
빌리다

4주 2일

☐ **doctor**
의사

☐ **police officer**
경찰관

☐ **firefighter**
소방관

☐ **baker**
제빵사

☐ **sick**
아픈

☐ **fire**
불, 화재

4주 3일

☐ **car**
자동차

☐ **subway**
지하철

☐ **train**
기차

☐ **taxi**
택시

☐ **late**
늦은

☐ **every day**
매일

4주 4일

☐ **city**
도시

☐ **gallery**
미술관

☐ **sign**
표지판

☐ **painting**
그림

☐ **wonderful**
훌륭한, 멋진

☐ **inside**
~ 안에

4주 5일

☐ **ship**
배

☐ **airplane**
비행기

☐ **shop**
가게, 상점

☐ **restaurant**
식당

☐ **worry**
걱정하다

☐ **alone**
혼자

memo

친절한 말은 아주 짧기 때문에
말하기가 쉽다.

하지만 그 말의 메아리는 무궁무진하게
울려 퍼지는 법이다.

Kind words can be short and easy to speak,
but their echoes are truly endless.

테레사 수녀

친절한 말, 따뜻한 말 한마디는 누군가에게 커다란 힘이 될 수도 있어요.
나쁜 말 대신 좋은 말을 하게 되면 언젠가 나에게 보답으로 돌아온답니다.
앞으로 나쁘고 거친 말 대신 좋고 예쁜 말만 쓰기로 우리 약속해요!

뭘 좋아할지 몰라 다 준비했어♥
전과목 교재

전과목 시리즈 교재

●무등샘 해법시리즈

– 국어/수학	1~6학년, 학기용
– 사회/과학	3~6학년, 학기용
– 봄·여름/가을·겨울	1~2학년, 학기용
– SET(전과목/국수, 국사과)	1~6학년, 학기용

●무등샘 전과

– 국어/수학/봄·여름(1학기)/가을·겨울(2학기)	1~2학년, 학기용
– 국어/수학/사회/과학	3~6학년, 학기용

●똑똑한 하루 시리즈

– 똑똑한 하루 독해	예비초~6학년, 총 14권
– 똑똑한 하루 글쓰기	예비초~6학년, 총 14권
– 똑똑한 하루 어휘	예비초~6학년, 총 14권
– 똑똑한 하루 수학	1~6학년, 학기용
– 똑똑한 하루 계산	1~6학년, 학기용
– 똑똑한 하루 사고력	1~6학년, 학기용
– 똑똑한 하루 도형	1~6단계, 총 6권
– 똑똑한 하루 사회/과학	3~6학년, 학기용
– 똑똑한 하루 Voca	3~6학년, 학기용
– 똑똑한 하루 Reading	초3~초6, 학기용
– 똑똑한 하루 Grammar	초3~초6, 학기용
– 똑똑한 하루 Phonics	예비초~초등, 총 8권

영어 교재

●초등영어 교과서 시리즈

파닉스(1~4단계)	3~6학년, 학년용
회화(입문1~2, 1~6단계)	3~6학년, 학기용
영단어(1~4단계)	3~6학년, 학년용
●셀파 English(어휘/회화/문법)	3~6학년
●Reading Farm(Level 1~4)	3~6학년
●Grammar Town(Level 1~4)	3~6학년
●LOOK BOOK 영단어	3~6학년, 단행본
●원서 읽는 LOOK BOOK 영단어	3~6학년, 단행본
●멘토 Story Words	2~6학년, 총 6권

똑똑한

하루
Reading

정답 ✧

매일매일
쌓이는
영어 기초력

천재교육

4학년 영어
2B

천재교육

1주 1일

My Day 나의 하루

Q 여자아이는 무엇에 관해 말하고 있을까요?
자신의 일과

안녕, 나는 줄리야.
내 일과를 소개할게.

나는 7시에 일어나.
나는 7시 30분에 아침을 먹어.
나는 8시 30분에 학교에 가.
나는 12시에 점심을 먹어.
나는 6시에 저녁을 먹어.
나는 9시에 자.

너는 어때?

Hi, I am Julie.
This is my day.

I get up at 7.
I have breakfast at 7:30.
I go to school at 8:30.
I have lunch at 12.
I have dinner at 6.
I go to bed at 9.

How about you?

하루 구문

I + 일과 어구 + at + 시각. 나는 ~시에 …해.

내가 몇 시에 무엇을 하는지 말하는 표현이에요. 규칙적이고 반복적인 일과를 나타내는데, 이때 시각 앞에는 at을 써요.

시각은 「시:분」으로 나타내요. 예를 들어 7시 30분은 seven thirty라고 말해요.

Let's Check

A 글의 내용과 일치하도록 빈칸에 알맞은 것을 고르세요.

1. Julie gets up at _____.
   ⓐ 7:00   ⓑ 7:30   ⓒ 8:30

2. Julie has _____ at 6.
   ⓐ breakfast   ⓑ lunch   ⓒ dinner

B 그림에 알맞은 문장을 연결하세요.

1. — I go to school at 8:30.
2. — I go to bed at 9.
3. — I have lunch at 12.

1일 Reading

Let's Practice 집중 연습

A 그림에 알맞은 어구를 연결하세요.

1.   2.   3.

go to bed   get up   have lunch

B 그림에 알맞은 어구를 보기에서 골라 문장을 완성하세요.

보기 have breakfast   go to school   have dinner

1. I go to school at 8:30.
2. I have breakfast at 7:30.

C 그림에 알맞은 문장을 완성하세요.

1. I have dinner at 6.
   나는 6시에 저녁을 먹어.

2. I go to bed at 9.
   나는 9시에 자.

D 그림에 맞게 단어나 어구를 바르게 배열하여 문장을 쓰세요.

1. (at / I / 7 / get up)
   I get up at 7.
   나는 7시에 일어나.

2. (have lunch / at / I / 12)
   I have lunch at 12.
   나는 12시에 점심을 먹어.

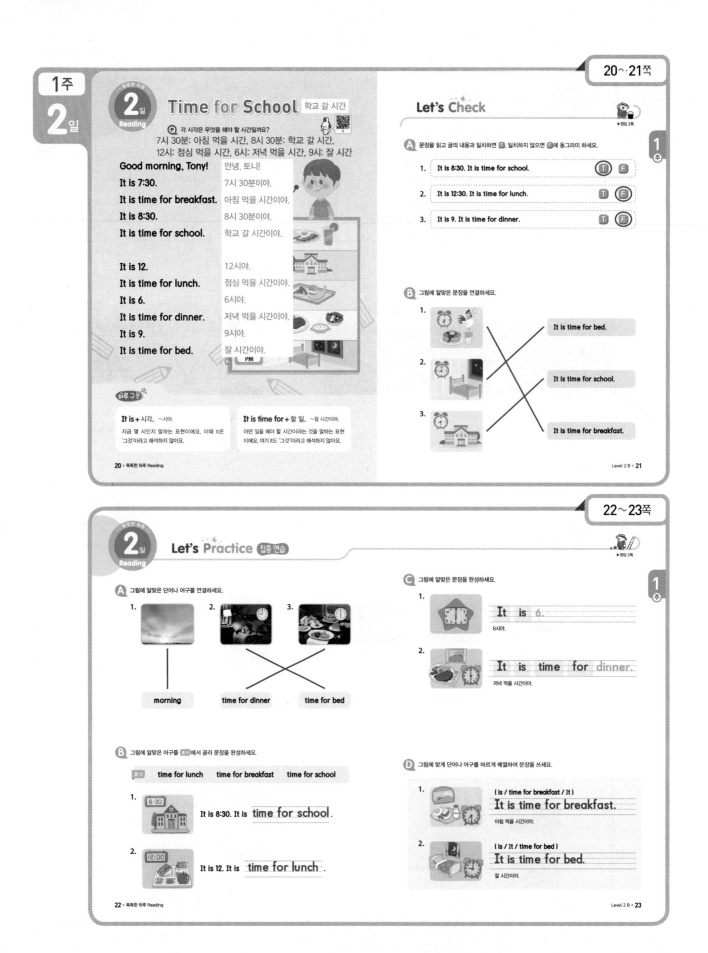

1주 2일

2일 Reading

Time for School 학교 갈 시간

Q 각 시각은 무엇을 해야 할 시간일까요?
7시 30분: 아침 먹을 시간, 8시 30분: 학교 갈 시간,
12시: 점심 먹을 시간, 6시: 저녁 먹을 시간, 9시: 잘 시간

Good morning, Tony!	안녕, 토니!
It is 7:30.	7시 30분이야.
It is time for breakfast.	아침 먹을 시간이야.
It is 8:30.	8시 30분이야.
It is time for school.	학교 갈 시간이야.
It is 12.	12시야.
It is time for lunch.	점심 먹을 시간이야.
It is 6.	6시야.
It is time for dinner.	저녁 먹을 시간이야.
It is 9.	9시야.
It is time for bed.	잘 시간이야.

하루 구문

It is + 시각. ~시야.
지금 몇 시인지 말하는 표현이에요. 이때 It은 '그것'이라고 해석하지 않아요.

It is time for + 할 일. ~할 시간이야.
어떤 일을 해야 할 시간이라는 것을 말하는 표현이에요. 여기 It도 '그것'이라고 해석하지 않아요.

20~21쪽

Let's Check

▶정답 2쪽

A 문장을 읽고 글의 내용과 일치하면 T, 일치하지 않으면 F에 동그라미 하세요.

1. It is 8:30. It is time for school. Ⓣ Ⓕ
2. It is 12:30. It is time for lunch. Ⓣ Ⓕ
3. It is 9. It is time for dinner. Ⓣ Ⓕ

B 그림에 알맞은 문장을 연결하세요.

1. ──→ It is time for bed.
2. ──→ It is time for school.
3. ──→ It is time for breakfast.

22~23쪽

2일 Reading

Let's Practice 집중 연습

▶정답 2쪽

A 그림에 알맞은 단어나 어구를 연결하세요.

1. | 2. | 3.

morning   time for dinner   time for bed

B 그림에 알맞은 어구를 보기에서 골라 문장을 완성하세요.

보기 time for lunch   time for breakfast   time for school

1. It is 8:30. It is time for school .

2. It is 12. It is time for lunch .

C 그림에 알맞은 문장을 완성하세요.

1. It is 6.
6시야.

2. It is time for dinner.
저녁 먹을 시간이야.

D 그림에 맞게 단어나 어구를 바르게 배열하여 문장을 쓰세요.

1. (is / time for breakfast / It)
It is time for breakfast.
아침 먹을 시간이야.

2. (is / It / time for bed)
It is time for bed.
잘 시간이야.

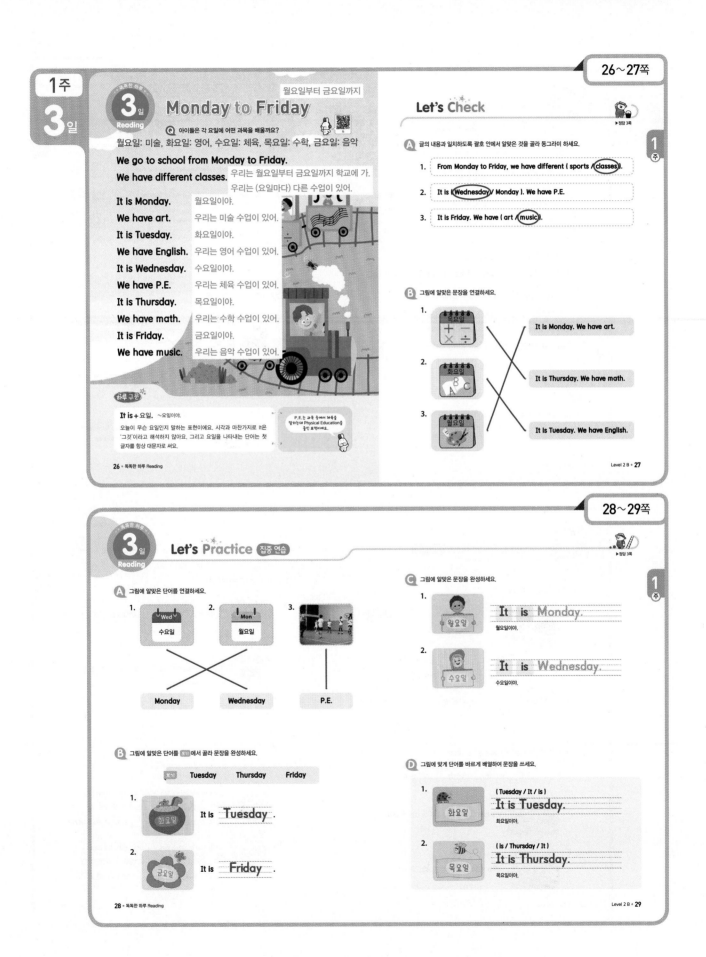

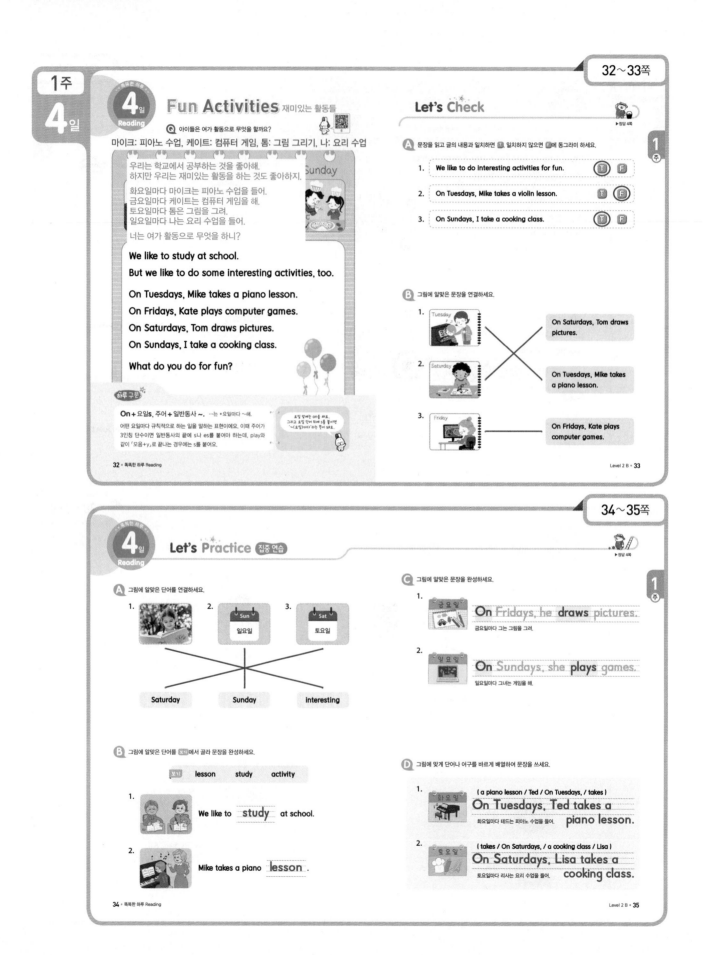

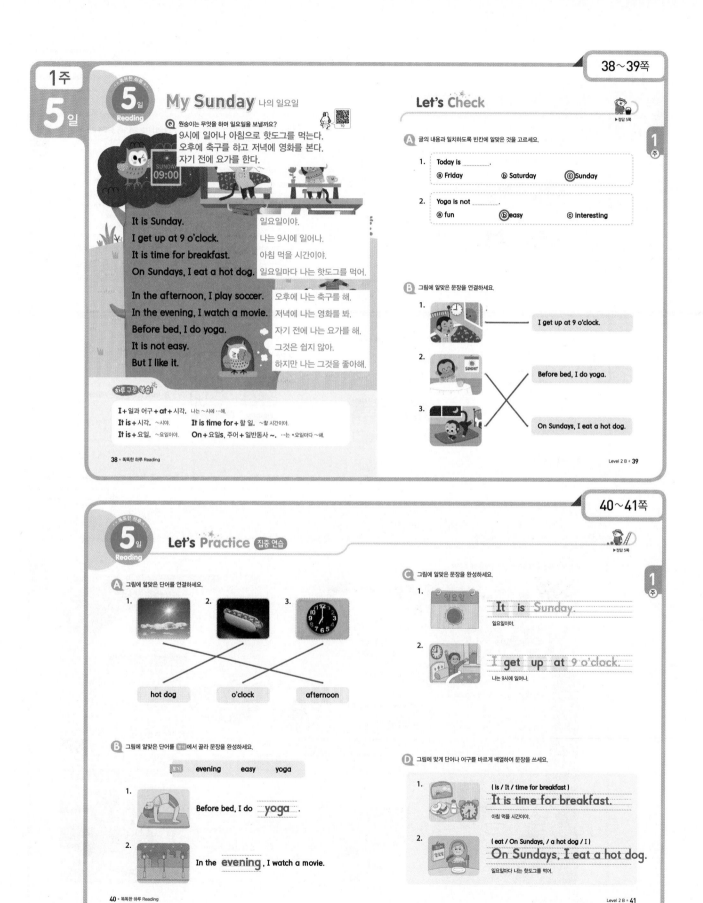

38~39쪽

1주 5일 Reading

My Sunday 나의 일요일

Q 원숭이는 무엇을 하며 일요일을 보낼까요?

9시에 일어나 아침으로 핫도그를 먹는다.
오후에 축구를 하고 저녁에 영화를 본다.
자기 전에 요가를 한다.

SUNDAY 09:00

It is Sunday.	일요일이야.
I get up at 9 o'clock.	나는 9시에 일어나.
It is time for breakfast.	아침 먹을 시간이야.
On Sundays, I eat a hot dog.	일요일마다 나는 핫도그를 먹어.
In the afternoon, I play soccer.	오후에 나는 축구를 해.
In the evening, I watch a movie.	저녁에 나는 영화를 봐.
Before bed, I do yoga.	자기 전에 나는 요가를 해.
It is not easy.	그것은 쉽지 않아.
But I like it.	하지만 나는 그것을 좋아해.

하루 구문 복습

| I + 일과 어구 + at + 시각. 나는 ~시에 …해. |
| It is + 시각. ~시야. | It is time for + 할 일. ~할 시간이야. |
| It is + 요일. ~요일이야. | On + 요일s, 주어 + 일반동사 ~. …는 ~요일마다 ~해. |

38 • 똑똑한 하루 Reading

Let's Check

▶ 정답 5쪽

A 글의 내용과 일치하도록 빈칸에 알맞은 것을 고르세요.

1. Today is _____.
   ⓐ Friday   ⓑ Saturday   ⓒ Sunday

2. Yoga is not _____.
   ⓐ fun   ⓑ easy   ⓒ interesting

B 그림에 알맞은 문장을 연결하세요.

1. ——— I get up at 9 o'clock.

2. ——— Before bed, I do yoga.

3. ——— On Sundays, I eat a hot dog.

Level 2 B • 39

40~41쪽

5일 Reading

Let's Practice 집중 연습

▶ 정답 5쪽

A 그림에 알맞은 단어를 연결하세요.

1.   2.   3.

hot dog   o'clock   afternoon

B 그림에 알맞은 단어를 보기에서 골라 문장을 완성하세요.

보기 evening   easy   yoga

1. Before bed, I do **yoga**.

2. In the **evening**, I watch a movie.

C 그림에 알맞은 문장을 완성하세요.

1. **It is Sunday.**
   일요일이야.

2. **I get up at 9 o'clock.**
   나는 9시에 일어나.

D 그림에 맞게 단어나 어구를 바르게 배열하여 문장을 쓰세요.

1. (is / It / time for breakfast)
   It is time for breakfast.
   아침 먹을 시간이야.

2. (eat / On Sundays, / a hot dog / I)
   On Sundays, I eat a hot dog.
   일요일마다 나는 핫도그를 먹어.

40 • 똑똑한 하루 Reading

Level 2 B • 41

1주 특강

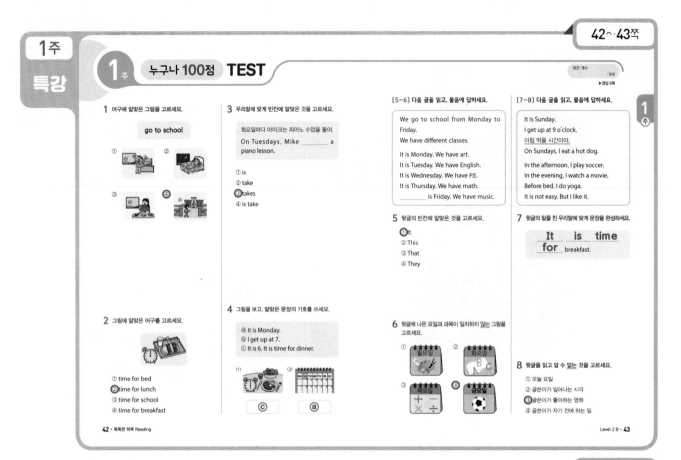

1주 누구나 100점 TEST

맞은 개수 /8개
▶정답 6쪽

1 어구에 알맞은 그림을 고르세요.

go to school

① ② ③ ④

2 그림에 알맞은 어구를 고르세요.

① time for bed
② time for lunch
③ time for school
④ time for breakfast

3 우리말에 맞게 빈칸에 알맞은 것을 고르세요.

화요일마다 마이크는 피아노 수업을 들어.
On Tuesdays, Mike _____ a piano lesson.

① is
② take
③ takes
④ is take

4 그림을 보고, 알맞은 문장의 기호를 쓰세요.

ⓐ It is Monday.
ⓑ I get up at 7.
ⓒ It is 6. It is time for dinner.

(1) ⓒ (2) ⓐ

[5~6] 다음 글을 읽고, 물음에 답하세요.

We go to school from Monday to Friday.
We have different classes.
It is Monday. We have art.
It is Tuesday. We have English.
It is Wednesday. We have P.E.
It is Thursday. We have math.
_____ is Friday. We have music.

5 윗글의 빈칸에 알맞은 것을 고르세요.

① It
② This
③ That
④ They

6 윗글에 나온 요일과 과목이 일치하지 않는 그림을 고르세요.

① 월요일 ② 화요일 ③ 목요일 ④ 금요일

[7~8] 다음 글을 읽고, 물음에 답하세요.

It is Sunday.
I get up at 9 o'clock.
아침 먹을 시간이야.
On Sundays, I eat a hot dog.
In the afternoon, I play soccer.
In the evening, I watch a movie.
Before bed, I do yoga.
It is not easy. But I like it.

7 윗글의 밑줄 친 우리말에 맞게 문장을 완성하세요.

It is time for _____ breakfast.

8 윗글을 읽고 알 수 없는 것을 고르세요.

① 오늘 요일
② 글쓴이가 일어나는 시각
③ 글쓴이가 좋아하는 영화
④ 글쓴이가 자기 전에 하는 일

1주 특강 창의·융합·코딩 ❶ Brain Game Zone

정답 6쪽

배운 내용을 떠올리며 말판 놀이를 해 보세요.

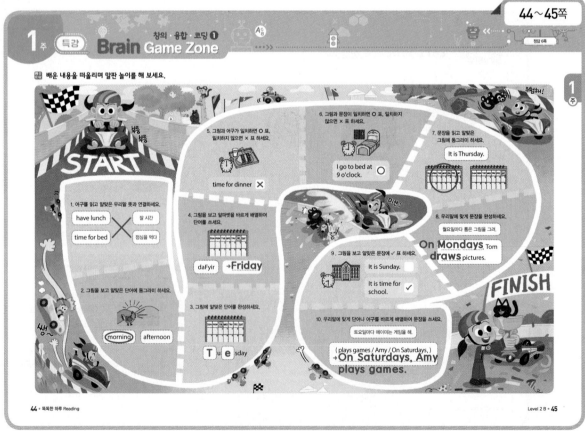

START

1. 어구를 읽고 알맞은 우리말 뜻과 연결하세요.
have lunch — 잘 시간
time for bed — 점심을 먹다

2. 그림을 보고 알맞은 단어에 동그라미 하세요.
morning   afternoon

3. 그림에 알맞은 단어를 완성하세요.
T u e sday

4. 그림을 보고 알파벳을 바르게 배열하여 단어를 쓰세요.
daFyir →Friday

5. 그림과 어구가 일치하면 O 표, 일치하지 않으면 × 표 하세요.
time for dinner ×

6. 그림과 문장이 일치하면 O 표, 일치하지 않으면 × 표 하세요.
I go to bed at 9 o'clock. O

7. 문장을 읽고 알맞은 그림에 동그라미 하세요.
It is Thursday.

8. 우리말에 맞게 문장을 완성하세요.
월요일마다 톰은 그림을 그려.
On Mondays Tom draws pictures.

9. 그림을 보고 알맞은 문장에 ✓ 표 하세요.
It is Sunday. ☐
It is time for school. ✓

10. 우리말에 맞게 단어나 어구를 바르게 배열하여 문장을 쓰세요.
토요일마다 에이미는 게임을 해.
(plays games / Amy / On Saturdays,)
→On Saturdays, Amy plays games.

FINISH

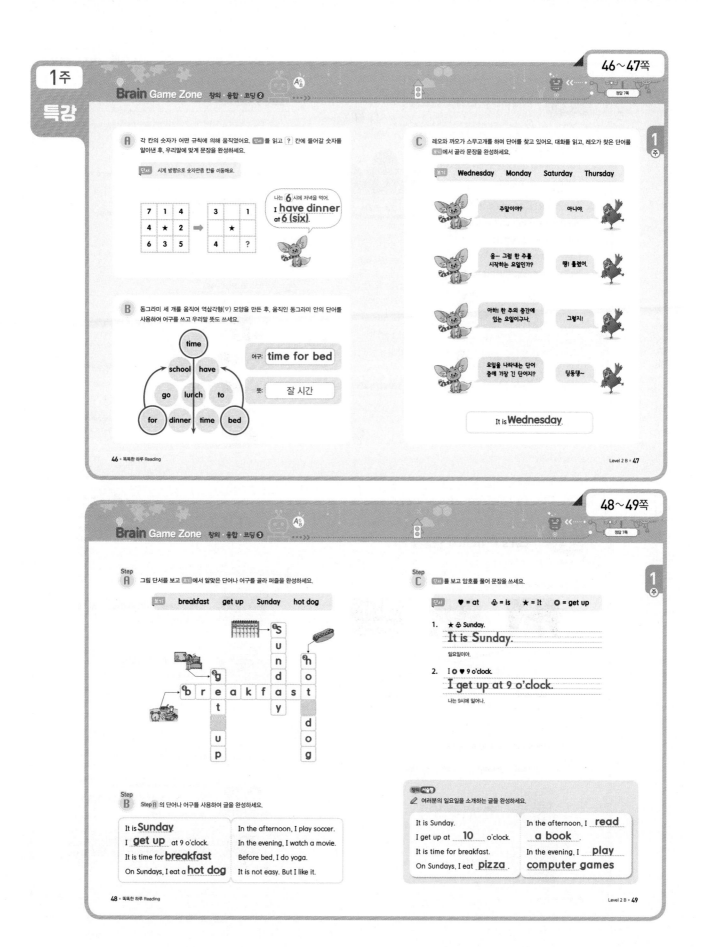

1주
특강

Brain Game Zone 창의·융합·코딩 ❷

정답 7쪽

A 각 칸의 숫자가 어떤 규칙에 의해 움직였어요. 단서를 읽고 **?** 칸에 들어갈 숫자를 알아낸 후, 우리말에 맞게 문장을 완성하세요.

단서 시계 방향으로 숫자만큼 칸을 이동해요.

7	1	4
4	★	2
6	3	5

➡

3		1
	★	
4		?

나는 **6** 시에 저녁을 먹어.
I have dinner at 6 (six).

B 동그라미 세 개를 움직여 역삼각형(▽) 모양을 만든 후, 움직인 동그라미 안의 단어를 사용하여 어구를 쓰고 우리말 뜻도 쓰세요.

time / school / have / go / lunch / to / for / dinner / time / bed

어구: time for bed

뜻: 잘 시간

C 레오와 까오가 스무고개를 하며 단어를 찾고 있어요. 대화를 읽고, 레오가 찾은 단어를 보기에서 골라 문장을 완성하세요.

보기 Wednesday   Monday   Saturday   Thursday

주말이야? / 아니야.

음… 그럼 한 주를 시작하는 요일인가? / 땡! 틀렸어.

아하! 한 주의 중간에 있는 요일이구나. / 그렇지!

요일을 나타내는 단어 중에 가장 긴 단어지? / 딩동댕~

It is **Wednesday**.

46 • 똑똑한 하루 Reading

Level 2 B • 47

48~49쪽

Brain Game Zone 창의·융합·코딩 ❸

정답 7쪽

Step A 그림 단서를 보고 보기에서 알맞은 단어나 어구를 골라 퍼즐을 완성하세요.

보기 breakfast   get up   Sunday   hot dog

S u n d a y
g
b r e a k f a s t
t / h o t
u / d o g
p / y

Step B Step A 의 단어나 어구를 사용하여 글을 완성하세요.

It is **Sunday**.
I **get up** at 9 o'clock.
It is time for **breakfast**.
On Sundays, I eat a **hot dog**.

In the afternoon, I play soccer.
In the evening, I watch a movie.
Before bed, I do yoga.
It is not easy. But I like it.

Step C 단서를 보고 암호를 풀어 문장을 쓰세요.

단서 ♥ = at   ♣ = is   ★ = It   ◎ = get up

1. ★ ♣ Sunday.
It is Sunday.
일요일이야.

2. I ◎ ♥ 9 o'clock.
I get up at 9 o'clock.
나는 9시에 일어나.

창의 서술형
✎ 여러분의 일요일을 소개하는 글을 완성하세요.

It is Sunday.
I get up at __10__ o'clock.
It is time for breakfast.
On Sundays, I eat **pizza**.

In the afternoon, I **read a book**.
In the evening, I **play computer games**.

48 • 똑똑한 하루 Reading

Level 2 B • 49

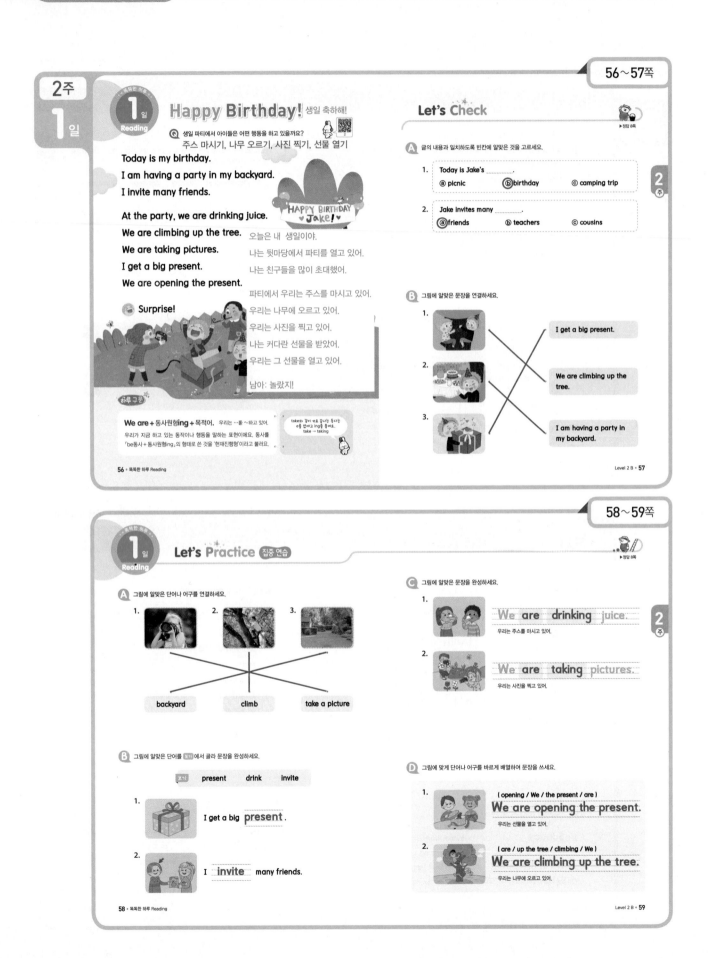

2주 2일

2일 Reading
Happy Mother's Day!
어머닐날 축하드려요!

Q 남자아이의 엄마는 무엇을 좋아하실까요? 꽃

Tomorrow is Mother's Day.
Ben thinks about a special gift for his mom.

What does she like?
Does she like hairpins?
Does she like chocolate?
Does she like candles?
Does she like mugs?

내일은 어머니날이에요.
벤은 엄마께 드릴 특별한 선물에 관해 생각해요.

그녀는 무엇을 좋아하시지?
머리핀을 좋아하시나?
초콜릿을 좋아하시나?
양초를 좋아하시나?
머그잔을 좋아하시나?

Oh, she likes flowers!
He writes a card.
"Happy Mother's Day, Mom!"

아, 그녀는 꽃을 좋아하셔!
그는 카드를 써요.
"어머니날 축하드려요, 엄마!"

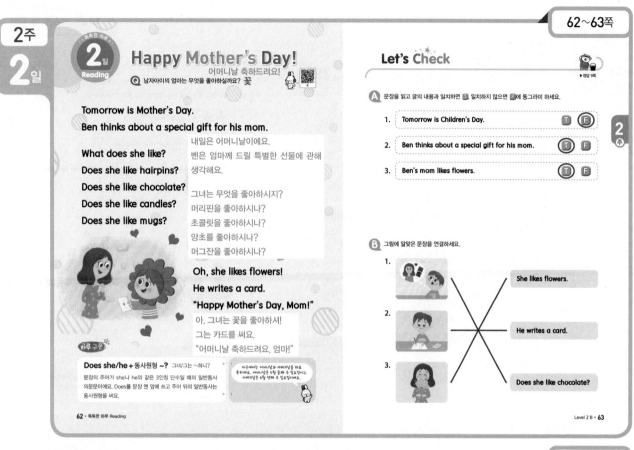

하루 구문

Does she/he + 동사원형 ~? 그녀/그는 ~하니?
문장의 주어가 she나 he와 같은 3인칭 단수일 때의 일반동사 의문문이에요. Does를 문장 맨 앞에 쓰고 주어 뒤의 일반동사는 동사원형을 써요.

미국에서는 어머니날과 아버지날을 따로 축하해요. 어머니날은 5월 둘째 주 일요일이고, 아버지날은 6월 셋째 주 일요일이에요.

62 · 똑똑한 하루 Reading

62~63쪽

Let's Check

▶정답 9쪽

A 문장을 읽고 글의 내용과 일치하면 **T**, 일치하지 않으면 **F**에 동그라미 하세요.

1. Tomorrow is Children's Day. **T** (**F**)

2. Ben thinks about a special gift for his mom. (**T**) **F**

3. Ben's mom likes flowers. (**T**) **F**

B 그림에 알맞은 문장을 연결하세요.

1. — She likes flowers.

2. — He writes a card.

3. — Does she like chocolate?

Level 2 B · 63

64~65쪽

2일 Reading
Let's Practice 집중 연습

▶정답 9쪽

A 그림에 알맞은 단어를 연결하세요.

1. — card
2. — gift
3. — think

B 그림에 알맞은 단어를 **보기**에서 골라 문장을 완성하세요.

보기 hairpin　mug　candle

1. Does he like **mug** s?

2. Does she like **hairpin** s?

C 그림에 알맞은 문장을 완성하세요.

1. **Does she like mugs?**
그녀는 머그잔을 좋아하시니?

2. **Does he like chocolate?**
그는 초콜릿을 좋아하니?

D 그림에 맞게 단어를 바르게 배열하여 문장을 쓰세요.

1. (candles / Does / like / he)
Does he like candles?
그는 양초를 좋아하시니?

2. (she / hairpins / like / Does)
Does she like hairpins?
그녀는 머리핀을 좋아하니?

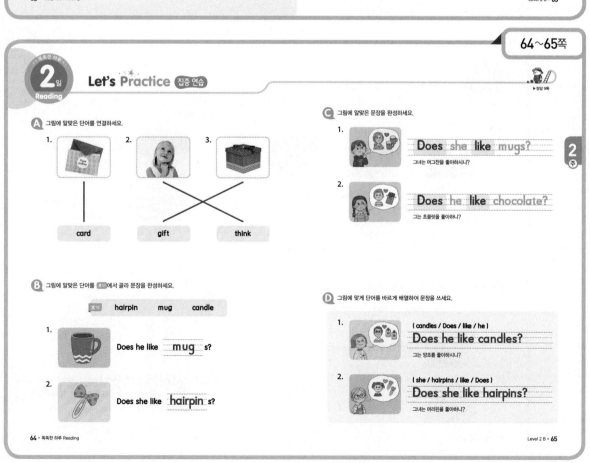

64 · 똑똑한 하루 Reading

Level 2 B · 65

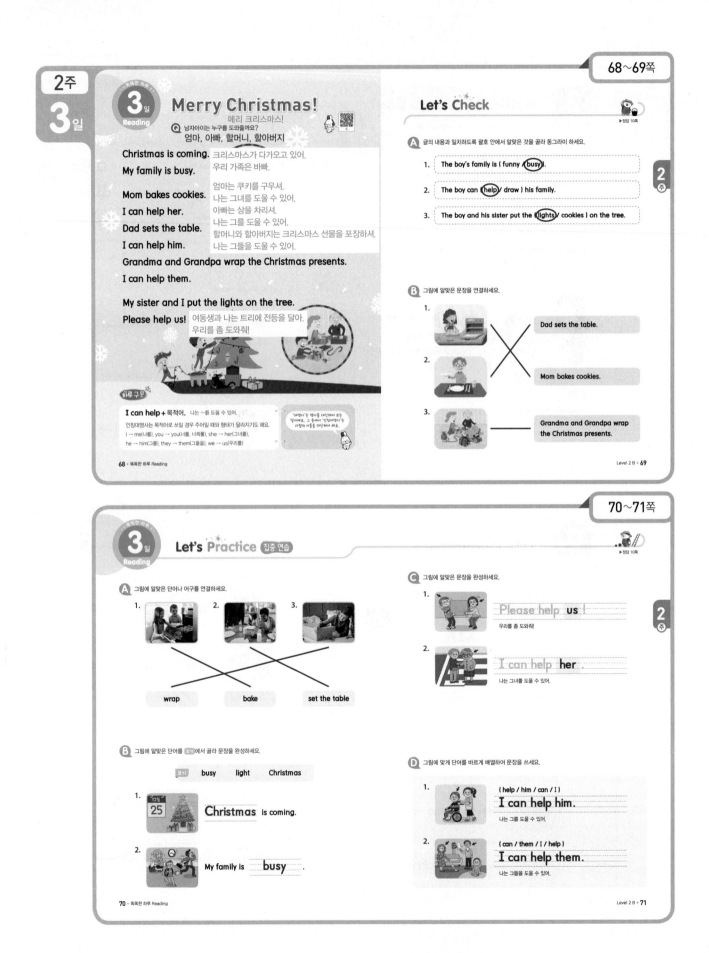

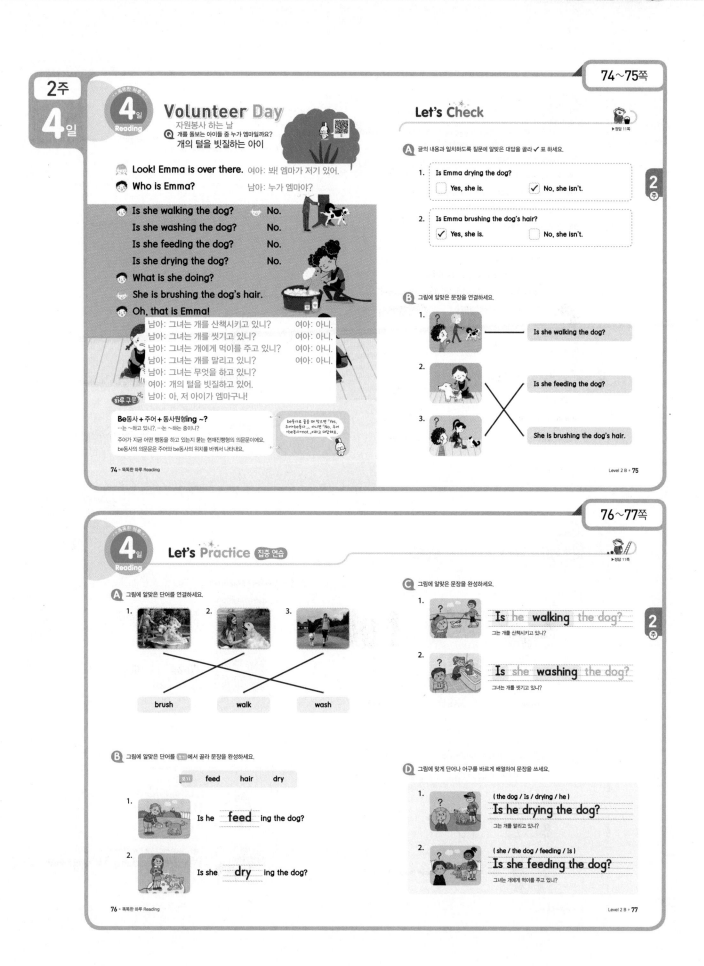

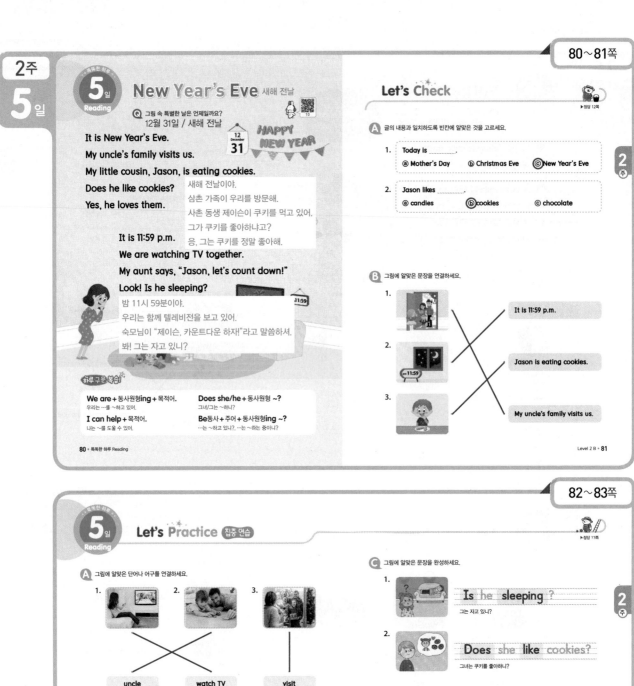

2주
5일

New Year's Eve 새해 전날

그림 속 특별한 날은 언제일까요?
12월 31일 / 새해 전날

It is New Year's Eve.
My uncle's family visits us.
My little cousin, Jason, is eating cookies.
Does he like cookies?
Yes, he loves them.

새해 전날이야.
삼촌 가족이 우리를 방문해.
사촌 동생 제이슨이 쿠키를 먹고 있어.
그가 쿠키를 좋아하냐고?
응, 그는 쿠키를 정말 좋아해.

It is 11:59 p.m.
We are watching TV together.
My aunt says, "Jason, let's count down!"
Look! Is he sleeping?

밤 11시 59분이야.
우리는 함께 텔레비전을 보고 있어.
숙모님이 "제이슨, 카운트다운 하자!"라고 말씀하셔.
봐! 그는 자고 있니?

하루 구문 복습

We are + 동사원형**ing** + 목적어. 우리는 …을 ~하고 있어.	**Does she/he** + 동사원형 ~? 그녀/그는 ~하니?
I can help + 목적어. 나는 ~를 도울 수 있어.	**Be**동사 + 주어 + 동사원형**ing** ~? …는 ~하고 있니?, …는 ~하는 중이니?

80 • 똑똑한 하루 Reading

Let's Check

A 글의 내용과 일치하도록 빈칸에 알맞은 것을 고르세요.

1. Today is _____.
   ⓐ Mother's Day   ⓑ Christmas Eve   ⓒ New Year's Eve

2. Jason likes _____.
   ⓐ candies   ⓑ cookies   ⓒ chocolate

B 그림에 알맞은 문장을 연결하세요.

1. — It is 11:59 p.m.

2. — Jason is eating cookies.

3. — My uncle's family visits us.

Level 2 B • 81

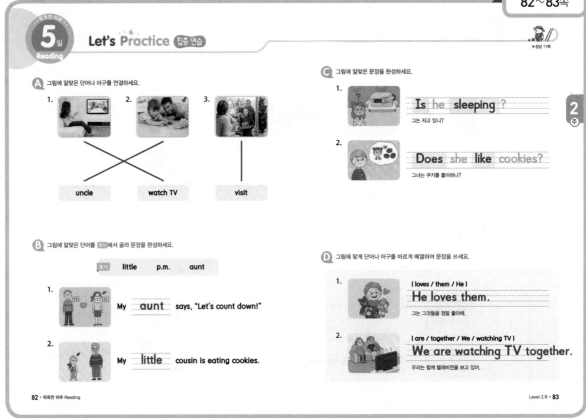

5일

Let's Practice 집중 연습

▶정답 17쪽

A 그림에 알맞은 단어나 어구를 연결하세요.

1.   2.   3.

uncle   watch TV   visit

B 그림에 알맞은 단어를 보기에서 골라 문장을 완성하세요.

보기   little   p.m.   aunt

1. My aunt says, "Let's count down!"

2. My little cousin is eating cookies.

82 • 똑똑한 하루 Reading

C 그림에 알맞은 문장을 완성하세요.

1. Is he sleeping ?
   그는 자고 있니?

2. Does she like cookies?
   그녀는 쿠키를 좋아하니?

D 그림에 맞게 단어나 어구를 바르게 배열하여 문장을 쓰세요.

1. (loves / them / He)
   He loves them.
   그는 그것들을 정말 좋아해.

2. (are / together / We / watching TV)
   We are watching TV together.
   우리는 함께 텔레비전을 보고 있어.

Level 2 B • 83

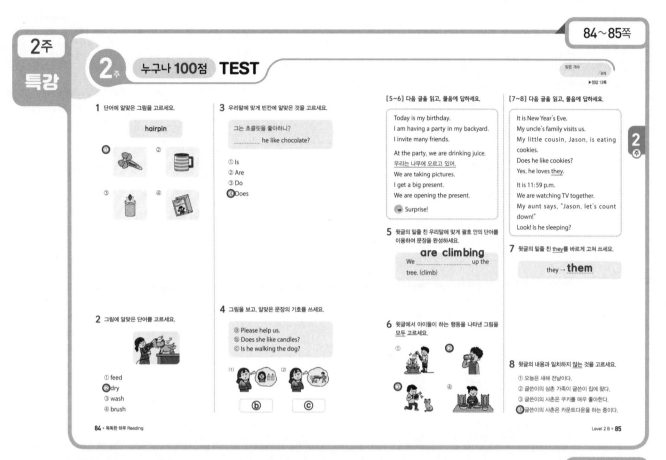

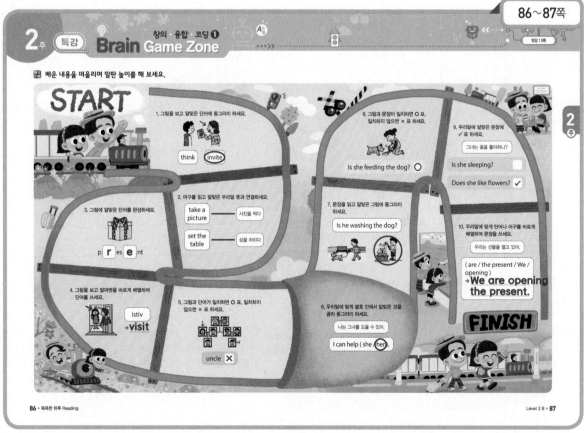

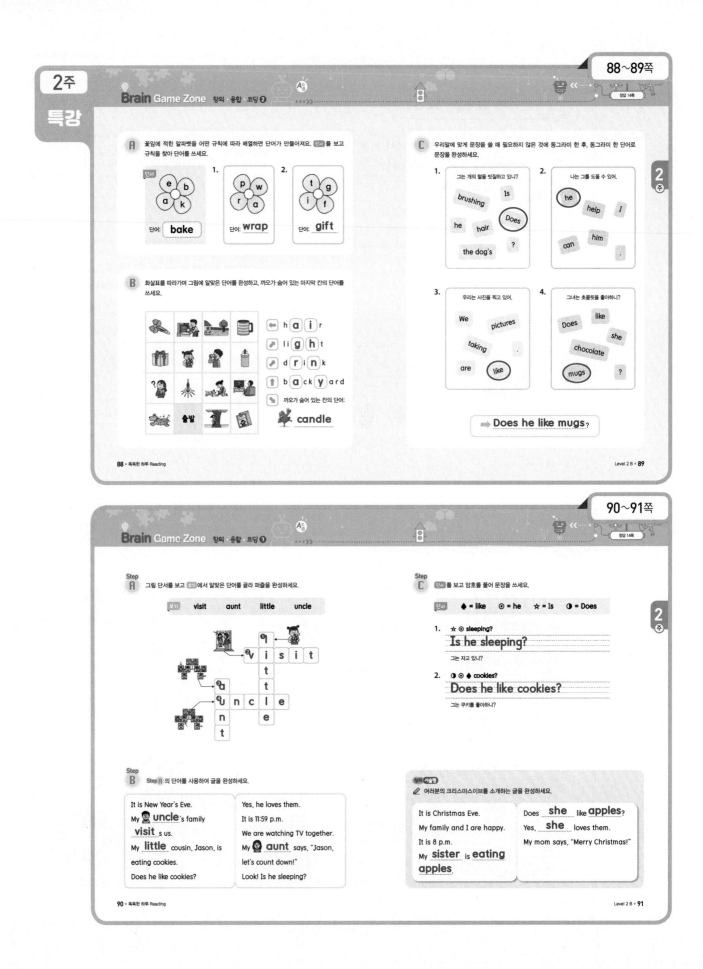

2주

특강

Brain Game Zone 창의·융합·코딩 ❷

88~89쪽

Ⓐ 꽃잎에 적힌 알파벳을 어떤 규칙에 따라 배열하면 단어가 만들어져요. 단서 를 보고 규칙을 찾아 단어를 쓰세요.

단서 e b / a k

단어: **bake**

1. p w / r a

단어: **wrap**

2. t g / i f

단어: **gift**

Ⓑ 화살표를 따라가며 그림에 알맞은 단어를 완성하고, 까오가 숨어 있는 마지막 칸의 단어를 쓰세요.

⬅ h(a)i r
↗ li(g)h t
↘ d(r)i(n)k
⬆ b(a)ck(y)ard
↙ 까오가 숨어 있는 칸의 단어: **candle**

Ⓒ 우리말에 맞게 문장을 쓸 때 필요하지 않은 것에 동그라미 한 후, 동그라미 한 단어로 문장을 완성하세요.

1. 그는 개의 털을 빗질하고 있니?
brushing / Is / he / hair / (Does) / the dog's / ?

2. 나는 그를 도울 수 있어.
(he) / help / I / can / him / .

3. 우리는 사진을 찍고 있어.
We / pictures / taking / are / (like) / .

4. 그녀는 초콜릿을 좋아하니?
Does / like / she / chocolate / (mugs) / ?

➡ **Does he like mugs**?

Brain Game Zone 창의·융합·코딩 ❸

90~91쪽

Step Ⓐ 그림 단서를 보고 보기 에서 알맞은 단어를 골라 퍼즐을 완성하세요.

보기 visit aunt little uncle

ᵉ v i s i t
ⁱt
t
ᵃu n c l e
n e
t

Step Ⓑ Step Ⓐ 의 단어를 사용하여 글을 완성하세요.

It is New Year's Eve.
My 👨 **uncle**'s family
visit s us.
My **little** cousin, Jason, is
eating cookies.
Does he like cookies?

Yes, he loves them.
It is 11:59 p.m.
We are watching TV together.
My 👩 **aunt** says, "Jason,
let's count down!"
Look! Is he sleeping?

Step Ⓒ 단서 를 보고 암호를 풀어 문장을 쓰세요.

단서 ♠ = like ⊙ = he ☆ = Is ◖ = Does

1. ☆ ⊙ sleeping?
Is he sleeping?
그는 자고 있니?

2. ◖ ⊙ ♠ cookies?
Does he like cookies?
그는 쿠키를 좋아하니?

창의 서술형
✎ 여러분의 크리스마스이브를 소개하는 글을 완성하세요.

It is Christmas Eve.
My family and I are happy.
It is 8 p.m.
My **sister** is **eating apples**.

Does **she** like **apples**?
Yes, **she** loves them.
My mom says, "Merry Christmas!"

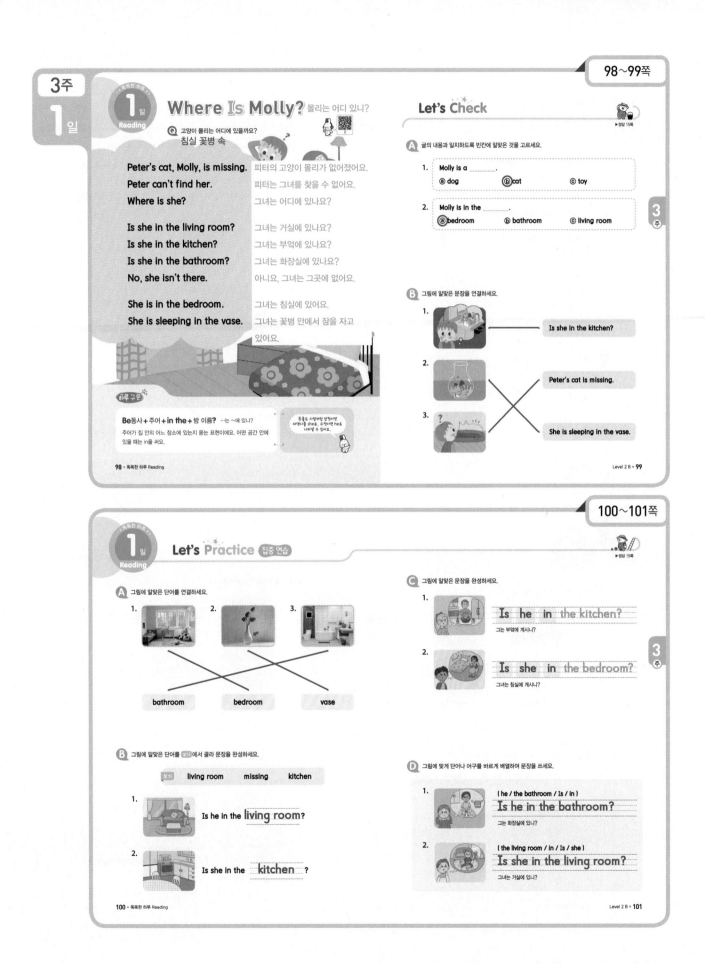

3주 1일

1일 Reading

Where Is Molly? 몰리는 어디 있니?

Q 고양이 몰리는 어디에 있을까요?
침실 꽃병 속

Peter's cat, Molly, is missing.
Peter can't find her.
Where is she?

Is she in the living room?
Is she in the kitchen?
Is she in the bathroom?
No, she isn't there.

She is in the bedroom.
She is sleeping in the vase.

피터의 고양이 몰리가 없어졌어요.
피터는 그녀를 찾을 수 없어요.
그녀는 어디에 있나요?

그녀는 거실에 있나요?
그녀는 부엌에 있나요?
그녀는 화장실에 있나요?
아니요, 그녀는 그곳에 없어요.

그녀는 침실에 있어요.
그녀는 꽃병 안에서 잠을 자고
있어요.

하루 구문

Be동사 + 주어 + in the + 방 이름? …는 ~에 있니?
주어가 집 안의 어느 장소에 있는지 묻는 표현이에요. 어떤 공간 안에 있을 때는 in을 써요.

동물도 사람처럼 말하면 대명사를 she로, 수컷이면 he로 나타낼 수 있어요.

98 • 똑똑한 하루 Reading

Let's Check

▶정답 15쪽

Ⓐ 글의 내용과 일치하도록 빈칸에 알맞은 것을 고르세요.

1. Molly is a _____.
   ⓐ dog   ⓑ cat   ⓒ toy

2. Molly is in the _____.
   ⓐ bedroom   ⓑ bathroom   ⓒ living room

Ⓑ 그림에 알맞은 문장을 연결하세요.

1. ─── Is she in the kitchen?

2. ─── Peter's cat is missing.

3. ─── She is sleeping in the vase.

Level 2 B • 99

1일 Reading

Let's Practice 집중 연습

▶정답 15쪽

Ⓐ 그림에 알맞은 단어를 연결하세요.

1.   2.   3.

bathroom   bedroom   vase

Ⓑ 그림에 알맞은 단어를 보기에서 골라 문장을 완성하세요.

보기 living room   missing   kitchen

1. Is he in the **living room**?

2. Is she in the **kitchen**?

Ⓒ 그림에 알맞은 문장을 완성하세요.

1. **Is he in** the kitchen?
   그는 부엌에 계시니?

2. **Is she in** the bedroom?
   그녀는 침실에 계시니?

Ⓓ 그림에 맞게 단어나 어구를 바르게 배열하여 문장을 쓰세요.

1. (he / the bathroom / Is / in)
   Is he in the bathroom?
   그는 화장실에 있니?

2. (the living room / in / Is / she)
   Is she in the living room?
   그녀는 거실에 있니?

100 • 똑똑한 하루 Reading

Level 2 B • 101

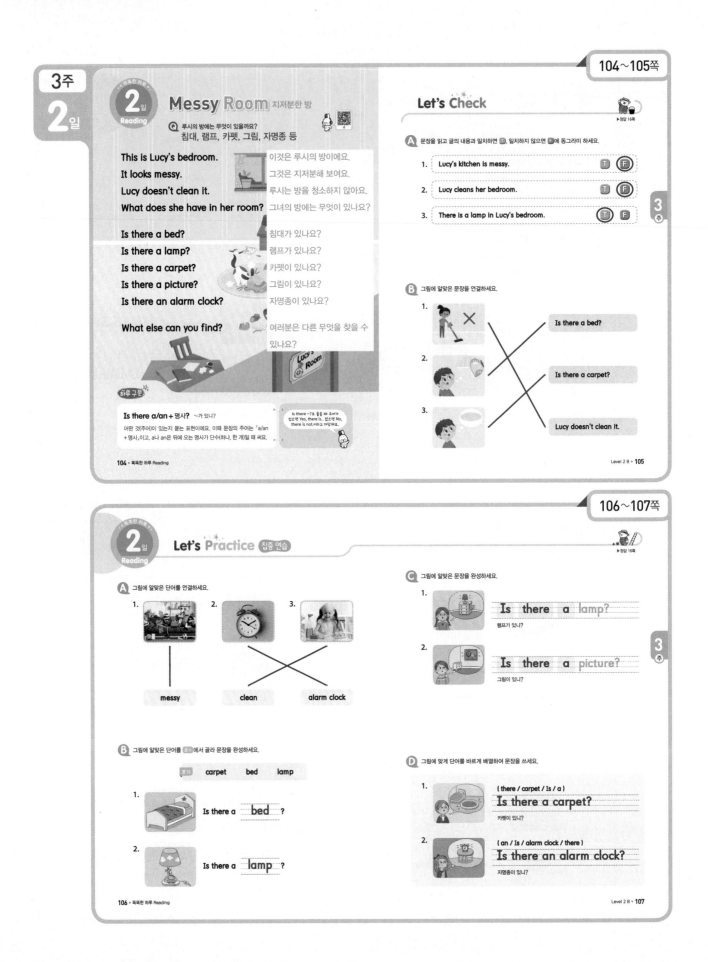

3주

2일

2일 Reading Messy Room 지저분한 방

Q 루시의 방에는 무엇이 있을까요?
침대, 램프, 카펫, 그림, 자명종 등

This is Lucy's bedroom.
It looks messy.
Lucy doesn't clean it.
What does she have in her room?

이것은 루시의 방이에요.
그것은 지저분해 보여요.
루시는 방을 청소하지 않아요.
그녀의 방에는 무엇이 있나요?

Is there a bed?
Is there a lamp?
Is there a carpet?
Is there a picture?
Is there an alarm clock?

침대가 있나요?
램프가 있나요?
카펫이 있나요?
그림이 있나요?
자명종이 있나요?

What else can you find?

여러분은 다른 무엇을 찾을 수 있나요?

하루 구문

Is there a/an + 명사? ~가 있니?

어떤 것(주어)이 있는지 묻는 표현이에요. 이때 문장의 주어는 「a/an
+ 명사」이고, a나 an은 뒤에 오는 명사가 단수(하나, 한 개)일 때 써요.

Is there ~? 물음 때 주어가
있으면 Yes, there is., 없으면 No,
there is not.이라고 대답해요.

104 • 똑똑한 하루 Reading

Let's Check

▶정답 16쪽

A 문장을 읽고 글의 내용과 일치하면 **T**, 일치하지 않으면 **F**에 동그라미 하세요.

1. Lucy's kitchen is messy. **T** **(F)**

2. Lucy cleans her bedroom. **T** **(F)**

3. There is a lamp in Lucy's bedroom. **(T)** **F**

B 그림에 알맞은 문장을 연결하세요.

1. × — Is there a bed?

2. — Is there a carpet?

3. — Lucy doesn't clean it.

Level 2 B • 105

2일 Reading Let's Practice 집중 연습

▶정답 16쪽

A 그림에 알맞은 단어를 연결하세요.

1. 2. 3.

messy   clean   alarm clock

B 그림에 알맞은 단어를 [보기]에서 골라 문장을 완성하세요.

[보기] carpet   bed   lamp

1. Is there a ___bed___ ?

2. Is there a ___lamp___ ?

C 그림에 알맞은 문장을 완성하세요.

1. Is there a lamp?
램프가 있니?

2. Is there a picture?
그림이 있니?

D 그림에 맞게 단어를 바르게 배열하여 문장을 쓰세요.

1. (there / carpet / Is / a)
Is there a carpet?
카펫이 있니?

2. (an / Is / alarm clock / there)
Is there an alarm clock?
자명종이 있니?

106 • 똑똑한 하루 Reading

Level 2 B • 107

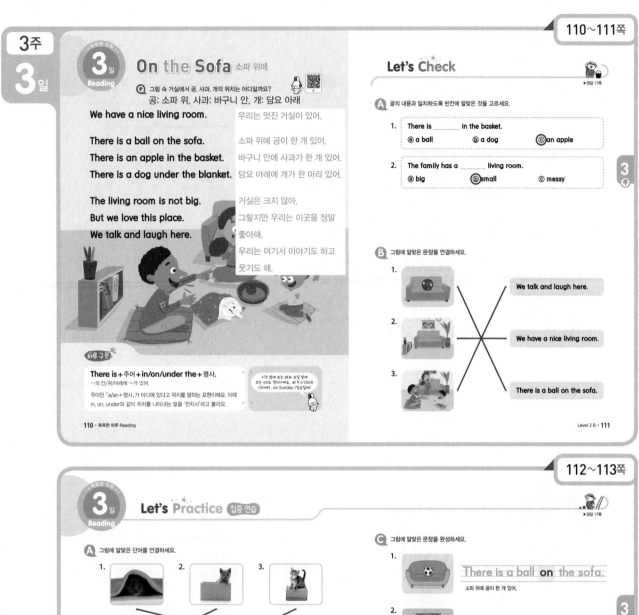

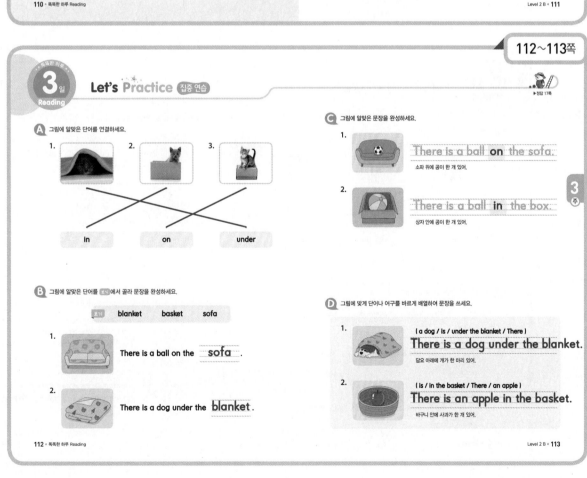

110~111쪽

3주 3일

3일 Reading

On the Sofa 소파 위에

그림 속 거실에서 공, 사과, 개의 위치는 어디일까요?
공: 소파 위, 사과: 바구니 안, 개: 담요 아래

We have a nice living room. | 우리는 멋진 거실이 있어.

There is a ball on the sofa. | 소파 위에 공이 한 개 있어.
There is an apple in the basket. | 바구니 안에 사과가 한 개 있어.
There is a dog under the blanket. | 담요 아래에 개가 한 마리 있어.

The living room is not big. | 거실은 크지 않아.
But we love this place. | 그렇지만 우리는 이곳을 정말 좋아해.
We talk and laugh here. | 우리는 여기서 이야기도 하고 웃기도 해.

하루 구문

There is + 주어 + in/on/under the + 명사.
…의 안/위/아래에 ~가 있어.

주어인 「a/an + 명사」가 어디에 있다고 위치를 말하는 표현이에요. 이때 in, on, under와 같이 위치를 나타내는 말을 '전치사'라고 불러요.

시간 앞에 쓰는 at과 요일 앞에 쓰는 on도 전치사예요. at 9 o'clock (9시에), on Sunday (일요일에)

110 • 똑똑한 하루 Reading

Let's Check

▶정답 17쪽

A 글의 내용과 일치하도록 빈칸에 알맞은 것을 고르세요.

1. There is _____ in the basket.
   ⓐ a ball   ⓑ a dog   **ⓒ an apple**

2. The family has a _____ living room.
   ⓐ big   **ⓑ small**   ⓒ messy

B 그림에 알맞은 문장을 연결하세요.

1. ——— We talk and laugh here.
2. ——— We have a nice living room.
3. ——— There is a ball on the sofa.

Level 2 B • 111

112~113쪽

3일 Reading

Let's Practice 집중 연습

▶정답 17쪽

A 그림에 알맞은 단어를 연결하세요.

1.   2.   3.

in   on   under

B 그림에 알맞은 단어를 보기에서 골라 문장을 완성하세요.

보기: blanket   basket   sofa

1. There is a ball on the **sofa**.

2. There is a dog under the **blanket**.

C 그림에 알맞은 문장을 완성하세요.

1. There is a ball **on** the sofa.
   소파 위에 공이 한 개 있어.

2. There is a ball **in** the box.
   상자 안에 공이 한 개 있어.

D 그림에 맞게 단어나 어구를 바르게 배열하여 문장을 쓰세요.

1. (a dog / is / under the blanket / There)
   There is a dog under the blanket.
   담요 아래에 개가 한 마리 있어.

2. (is / in the basket / There / an apple)
   There is an apple in the basket.
   바구니 안에 사과가 한 개 있어.

112 • 똑똑한 하루 Reading

Level 2 B • 113

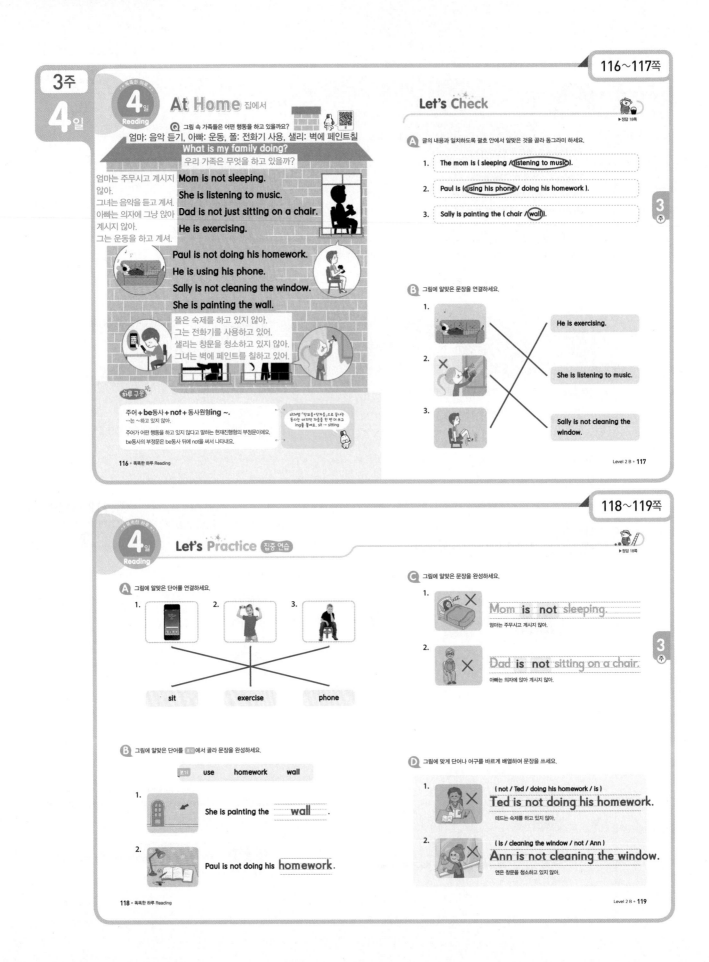

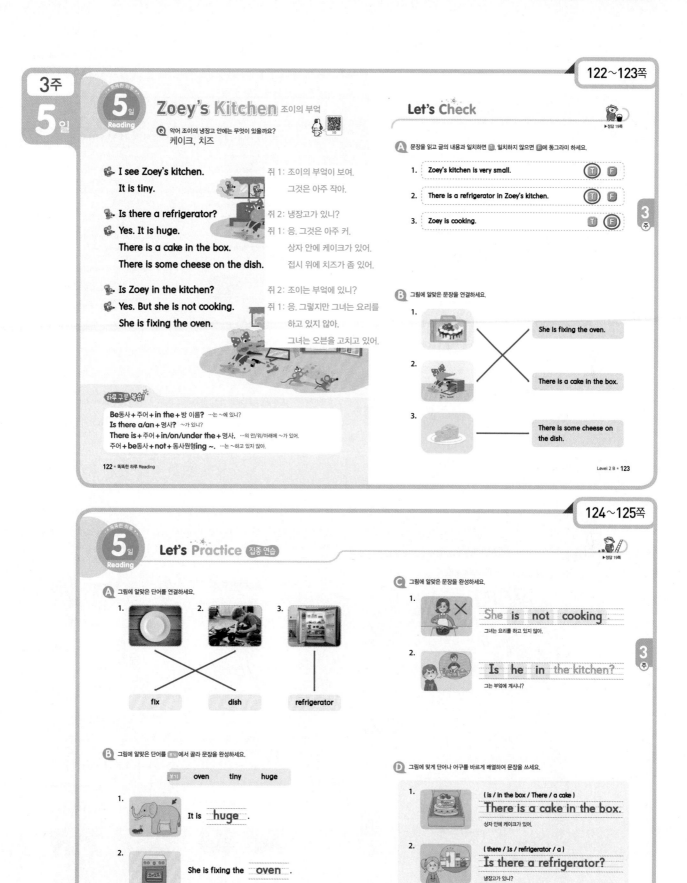

3주
특강

3주 누구나 100점 **TEST**

맞은 개수 /8개
▶정답 20쪽

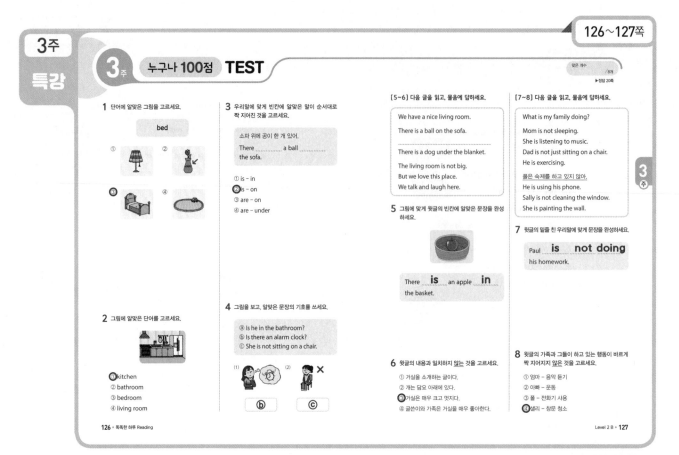

1 단어에 알맞은 그림을 고르세요.

bed

① ② ③✓ ④

2 그림에 알맞은 단어를 고르세요.

①✓kitchen
② bathroom
③ bedroom
④ living room

3 우리말에 맞게 빈칸에 알맞은 말이 순서대로 짝 지어진 것을 고르세요.

소파 위에 공이 한 개 있어.
There _____ a ball _____ the sofa.

① is – in
②✓is – on
③ are – on
④ are – under

4 그림을 보고, 알맞은 문장의 기호를 쓰세요.

ⓐ Is he in the bathroom?
ⓑ Is there an alarm clock?
ⓒ She is not sitting on a chair.

(1) ⓑ (2) ⓒ

[5~6] 다음 글을 읽고, 물음에 답하세요.

We have a nice living room.
There is a ball on the sofa.
_____
There is a dog under the blanket.
The living room is not big.
But we love this place.
We talk and laugh here.

5 그림에 맞게 윗글의 빈칸에 알맞은 문장을 완성하세요.

There **is** an apple **in** the basket.

6 윗글의 내용과 일치하지 않는 것을 고르세요.

① 거실을 소개하는 글이다.
② 개는 담요 아래에 있다.
③✓거실은 매우 크고 멋지다.
④ 글쓴이와 가족은 거실을 매우 좋아한다.

[7~8] 다음 글을 읽고, 물음에 답하세요.

What is my family doing?
Mom is not sleeping.
She is listening to music.
Dad is not just sitting on a chair.
He is exercising.
폴은 숙제를 하고 있지 않아.
He is using his phone.
Sally is not cleaning the window.
She is painting the wall.

7 윗글의 밑줄 친 우리말에 맞게 문장을 완성하세요.

Paul **is** **not doing** his homework.

8 윗글의 가족과 그들이 하고 있는 행동이 바르게 짝 지어지지 않은 것을 고르세요.

① 엄마 – 음악 듣기
② 아빠 – 운동
③ 폴 – 전화기 사용
④✓셀리 – 창문 청소

3주 **특강** 창의·융합·코딩 ❶ **Brain** Game Zone

정답 20쪽

🧩 배운 내용을 떠올리며 말판 놀이를 해 보세요.

START

1. 그림을 보고 알맞은 단어에 동그라미 하세요.
(messy) missing

2. 그림에 알맞은 단어를 완성하세요.
c arp e t

3. 단어를 읽고 알맞은 우리말 뜻과 연결하세요.
on ╳ ~ 안에
in ~ 위에

4. 그림을 보고 알파벳을 바르게 배열하여 단어를 쓰세요.
ixresece →exercise

5. 그림과 단어가 일치하면 ○ 표, 일치하지 않으면 ✗ 표 하세요.
basket ✗

6. 문장을 읽고 알맞은 그림에 동그라미 하세요.
Is she in the living room?

7. 우리말에 맞게 문장을 완성하세요.
소파 아래에 공이 한 개 있어.
There **is** a ball **under** the sofa.

8. 그림을 보고 알맞은 문장에 ✓ 표 하세요.
Is there a lamp? ✓
Mom is not sleeping. ☐

9. 그림과 문장이 일치하면 ○ 표, 일치하지 않으면 ✗ 표 하세요.
✗
He is not doing his homework. ○

10. 우리말에 맞게 단어나 어구를 바르게 배열하여 문장을 쓰세요.
그는 부엌에 있니?
(in / Is / the kitchen / he)
→Is he in the kitchen?

FINISH

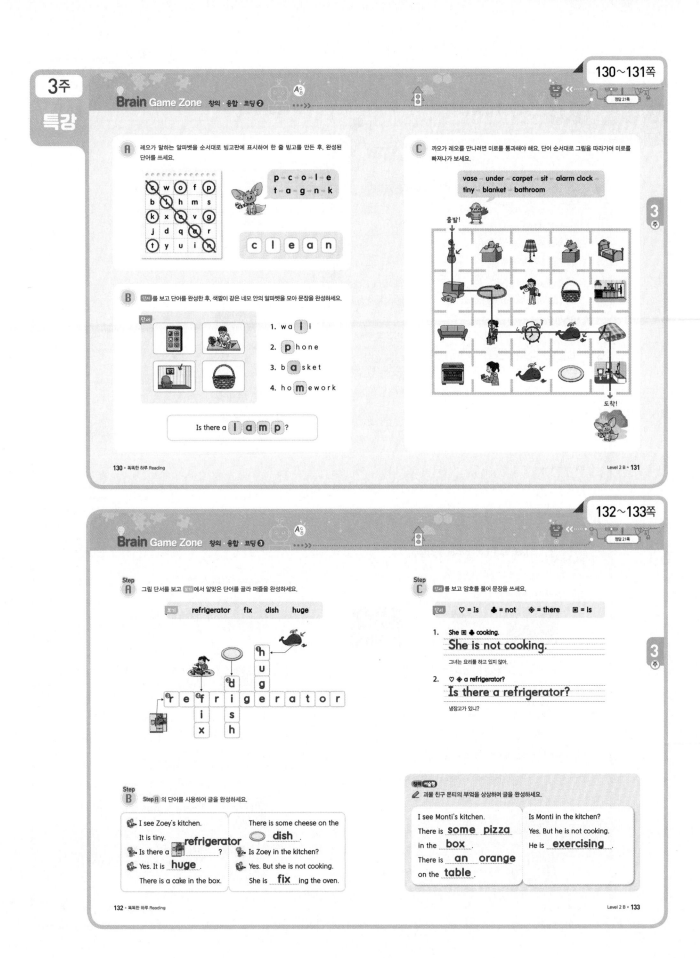

3주
특강

Brain Game Zone 창의·융합·코딩 ❷

정답 21쪽

A 레오가 말하는 알파벳을 순서대로 빙고판에 표시하여 한 줄 빙고를 만든 후, 완성된 단어를 쓰세요.

c	w	o	f	p
b	l	h	m	s
k	x	a	v	g
j	d	q	e	r
t	y	u	i	n

p - c - o - l - e
t - a - g - n - k

c l e a n

B 단서를 보고 단어를 완성한 후, 색깔이 같은 네모 안의 알파벳을 모아 문장을 완성하세요.

단서

1. wa l l
2. p hone
3. b a sket
4. ho m ework

Is there a l a m p ?

C 까오가 레오를 만나려면 미로를 통과해야 해요. 단어 순서대로 그림을 따라가며 미로를 빠져나가 보세요.

vase – under – carpet – sit – alarm clock
tiny – blanket – bathroom

출발!

도착!

130 • 똑똑한 하루 Reading

Level 2 B • 131

Brain Game Zone 창의·융합·코딩 ❸

정답 21쪽

Step A 그림 단서를 보고 보기에서 알맞은 단어를 골라 퍼즐을 완성하세요.

보기 refrigerator fix dish huge

h
u
g
e
d
i s h
r e f r i g e r a t o r
i
x

Step B Step A 의 단어를 사용하여 글을 완성하세요.

I see Zoey's kitchen.
It is tiny.
Is there a **refrigerator** ?
Yes. It is **huge** .
There is a cake in the box.

There is some cheese on the **dish** .
Is Zoey in the kitchen?
Yes. But she is not cooking.
She is **fix** ing the oven.

Step C 단서를 보고 암호를 풀어 문장을 쓰세요.

단서 ♡ = Is ♣ = not ◈ = there ▣ = is

1. She ▣ ♣ cooking.
She is not cooking.
그녀는 요리를 하고 있지 않아.

2. ♡ ◈ a refrigerator?
Is there a refrigerator?
냉장고가 있니?

창의·서술형
✎ 괴물 친구 몬티의 부엌을 상상하며 글을 완성하세요.

I see Monti's kitchen.
There is **some pizza**
in the **box** .
There is **an orange**
on the **table** .

Is Monti in the kitchen?
Yes. But he is not cooking.
He is **exercising** .

132 • 똑똑한 하루 Reading

Level 2 B • 133

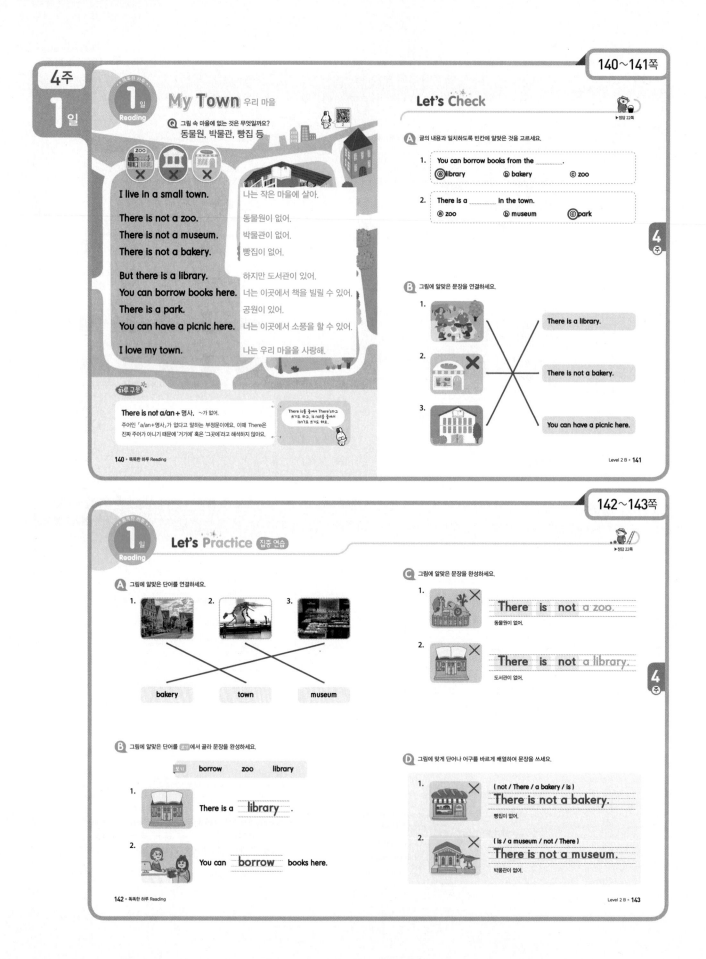

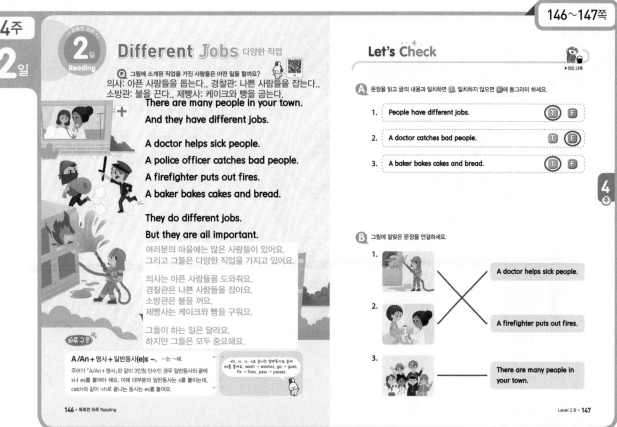

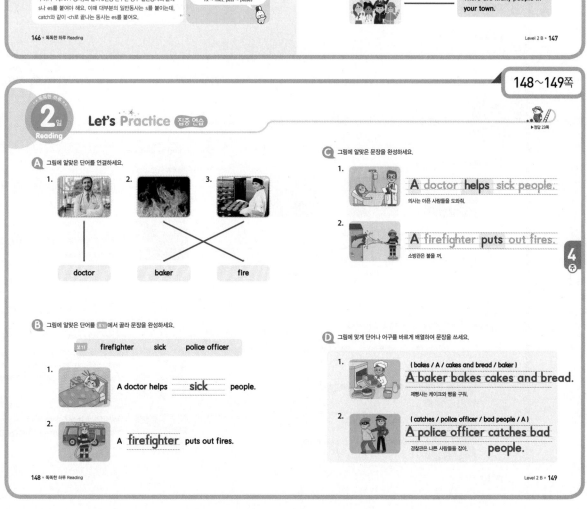

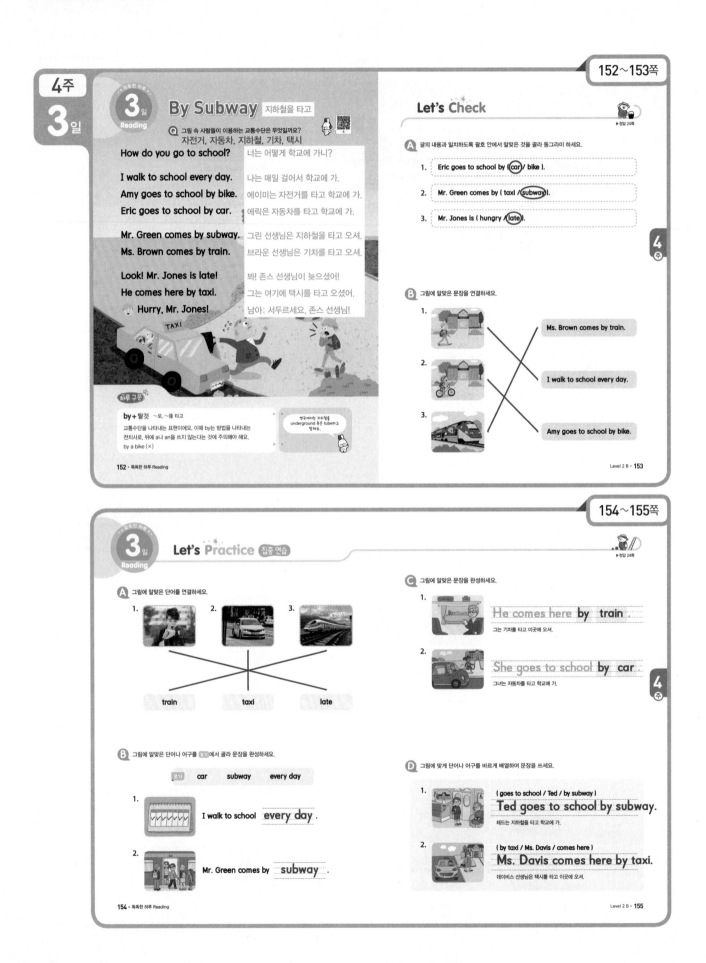

4주

3일
Reading

By Subway 지하철을 타고

Q 그림 속 사람들이 이용하는 교통수단은 무엇일까요?
자전거, 자동차, 지하철, 기차, 택시

How do you go to school?

I walk to school every day.
Amy goes to school by bike.
Eric goes to school by car.

Mr. Green comes by subway.
Ms. Brown comes by train.

Look! Mr. Jones is late!
He comes here by taxi.
Hurry, Mr. Jones!

너는 어떻게 학교에 가니?

나는 매일 걸어서 학교에 가.
에이미는 자전거를 타고 학교에 가.
에릭은 자동차를 타고 학교에 가.

그린 선생님은 지하철을 타고 오셔.
브라운 선생님은 기차를 타고 오셔.

봐! 존스 선생님이 늦으셨어!
그는 여기에 택시를 타고 오셨어.
남아: 서두르세요, 존스 선생님!

하루 구문

by + 탈것 ~로, ~를 타고
교통수단을 나타내는 표현이에요. 이때 by는 방법을 나타내는
전치사로, 뒤에 a나 an을 쓰지 않는다는 것에 주의해야 해요.
by a bike (×)

영국에서는 지하철을
underground 혹은 tube라고
말해요.

152 • 똑똑한 하루 Reading

152~153쪽

Let's Check

▶ 정답 24쪽

Ⓐ 글의 내용과 일치하도록 괄호 안에서 알맞은 것을 골라 동그라미 하세요.

1. Eric goes to school by ((car) / bike).

2. Mr. Green comes by (taxi / (subway)).

3. Mr. Jones is (hungry / (late)).

Ⓑ 그림에 알맞은 문장을 연결하세요.

1.   Ms. Brown comes by train.

2.   I walk to school every day.

3.   Amy goes to school by bike.

Level 2 B • 153

154~155쪽

3일
Reading

Let's Practice 집중 연습

▶ 정답 24쪽

Ⓐ 그림에 알맞은 단어를 연결하세요.

1.   2.   3.

train   taxi   late

Ⓑ 그림에 알맞은 단어나 어구를 보기 에서 골라 문장을 완성하세요.

보기 car   subway   every day

1. I walk to school every day .

2. Mr. Green comes by subway .

Ⓒ 그림에 알맞은 문장을 완성하세요.

1. He comes here by train .
그는 기차를 타고 이곳에 오셔.

2. She goes to school by car
그녀는 자동차를 타고 학교에 가.

Ⓓ 그림에 맞게 단어나 어구를 바르게 배열하여 문장을 쓰세요.

1. (goes to school / Ted / by subway)
Ted goes to school by subway.
테드는 지하철을 타고 학교에 가.

2. (by taxi / Ms. Davis / comes here)
Ms. Davis comes here by taxi.
데이비스 선생님은 택시를 타고 이곳에 오셔.

154 • 똑똑한 하루 Reading

Level 2 B • 155

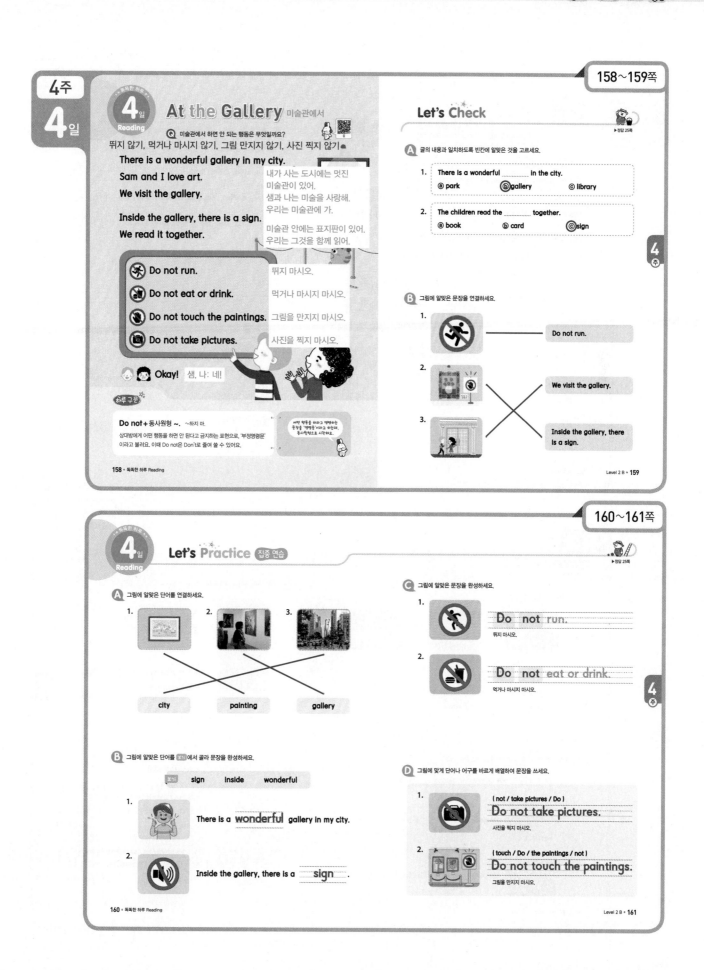

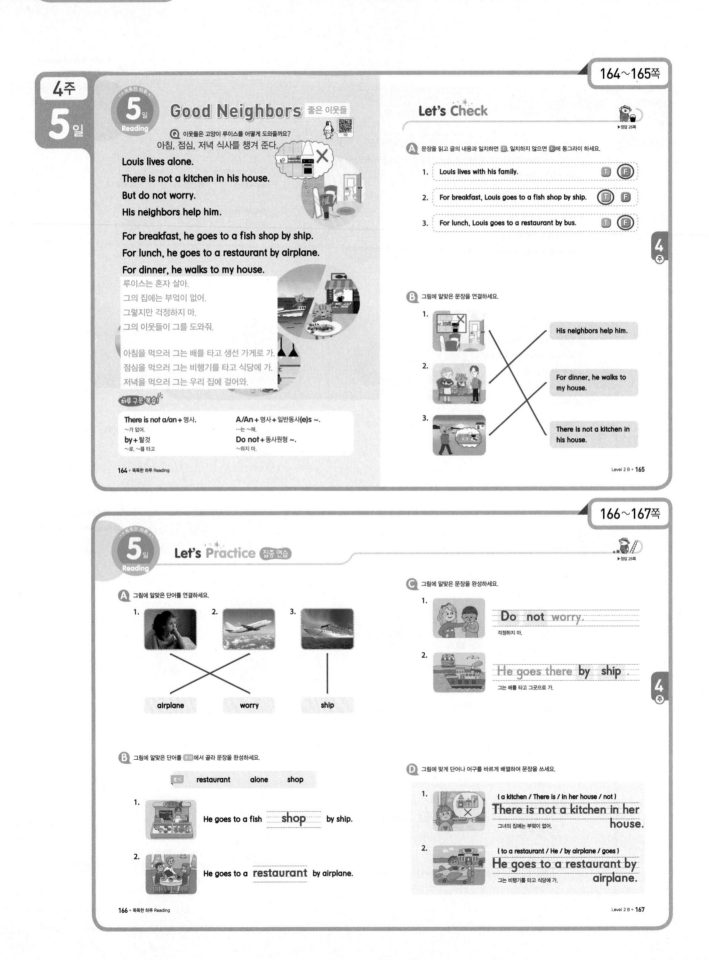

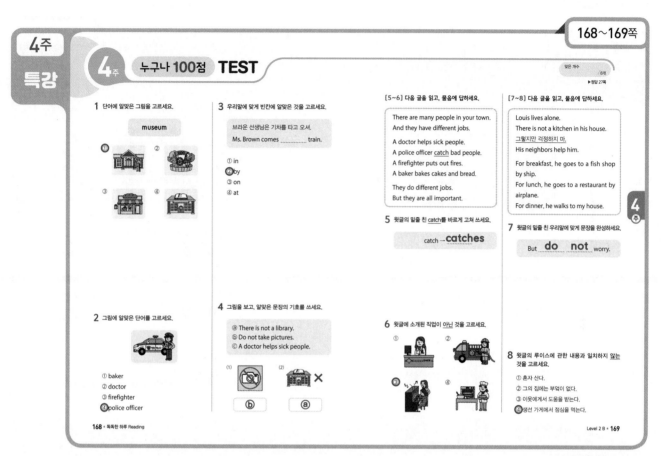

4주 특강

4주 누구나 100점 TEST

1 단어에 알맞은 그림을 고르세요.

museum

2 그림에 알맞은 단어를 고르세요.

① baker
② doctor
③ firefighter
④ police officer

3 우리말에 맞게 빈칸에 알맞은 것을 고르세요.

브라운 선생님은 기차를 타고 오셔.
Ms. Brown comes _____ train.

① in
② by
③ on
④ at

4 그림을 보고, 알맞은 문장의 기호를 쓰세요.

ⓐ There is not a library.
ⓑ Do not take pictures.
ⓒ A doctor helps sick people.

(1) ⓑ   (2) ⓐ

[5~6] 다음 글을 읽고, 물음에 답하세요.

There are many people in your town.
And they have different jobs.

A doctor helps sick people.
A police officer catch bad people.
A firefighter puts out fires.
A baker bakes cakes and bread.

They do different jobs.
But they are all important.

5 윗글의 밑줄 친 catch를 바르게 고쳐 쓰세요.

catch → catches

6 윗글에 소개된 직업이 아닌 것을 고르세요.

[7~8] 다음 글을 읽고, 물음에 답하세요.

Louis lives alone.
There is not a kitchen in his house.
그렇지만 걱정하지 마.
His neighbors help him.

For breakfast, he goes to a fish shop by ship.
For lunch, he goes to a restaurant by airplane.
For dinner, he walks to my house.

7 윗글의 밑줄 친 우리말에 맞게 문장을 완성하세요.

But do not worry.

8 윗글의 루이스에 관한 내용과 일치하지 않는 것을 고르세요.

① 혼자 산다.
② 그의 집에는 부엌이 없다.
③ 이웃에게서 도움을 받는다.
④ 생선 가게에서 점심을 먹는다.

168 • 똑똑한 하루 Reading

Level 2 B • 169

4주 특강 창의·융합·코딩 ❶ Brain Game Zone

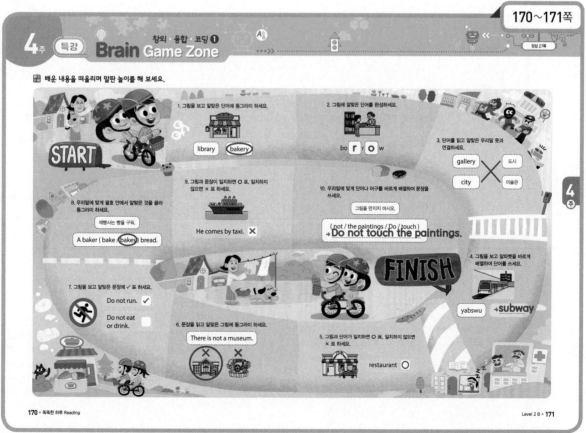

배운 내용을 떠올리며 말판 놀이를 해 보세요.

START

1. 그림을 보고 알맞은 단어에 동그라미 하세요.
library **bakery**

2. 그림에 알맞은 단어를 완성하세요.
bo **r** **r** o w

3. 단어를 읽고 알맞은 우리말 뜻과 연결하세요.
gallery — 도시
city — 미술관

8. 우리말에 맞게 괄호 안에서 알맞은 것을 골라 동그라미 하세요.
제빵사는 빵을 구워.
A baker (bake / **bakes**) bread.

9. 그림과 문장이 일치하면 ○ 표, 일치하지 않으면 × 표 하세요.
He comes by taxi. **×**

10. 우리말에 맞게 단어나 어구를 바르게 배열하여 문장을 쓰세요.
그림을 만지지 마시오
(not / the paintings / Do / touch)
→ **Do not touch the paintings.**

7. 그림을 보고 알맞은 문장에 ✓ 표 하세요.
Do not run. ✓
Do not eat or drink.

6. 문장을 읽고 알맞은 그림에 동그라미 하세요.
There is not a museum.

5. 그림과 단어가 일치하면 ○ 표, 일치하지 않으면 × 표 하세요.
restaurant ○

4. 그림을 보고 알파벳을 바르게 배열하여 단어를 쓰세요.
yabswu → **subway**

FINISH

170 • 똑똑한 하루 Reading

Level 2 B • 171

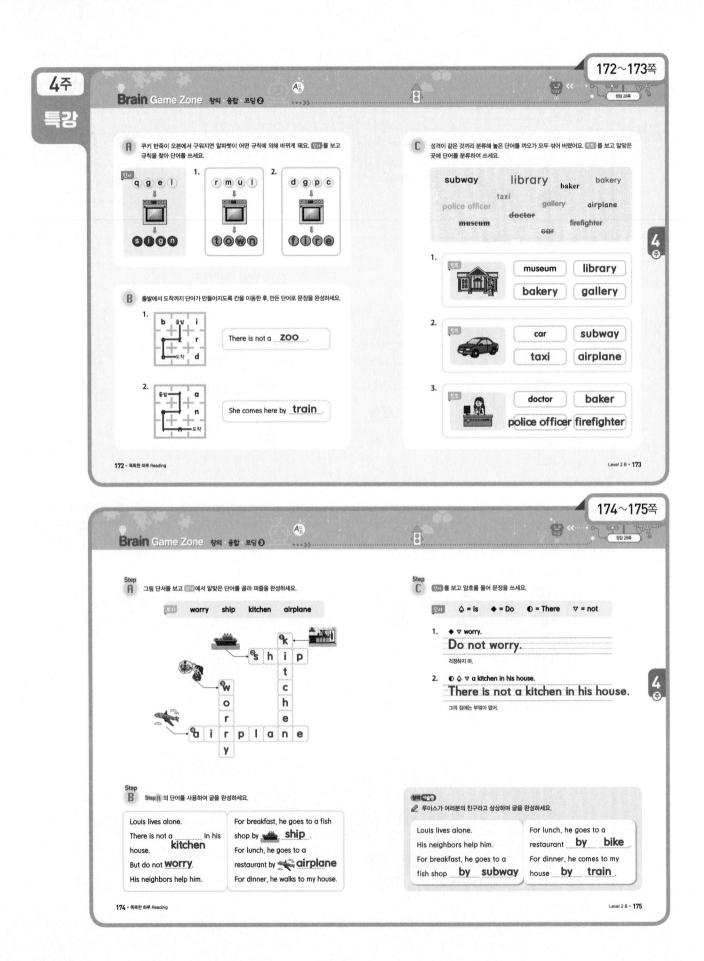

매일 조금씩 **공부력** UP!

똑똑한 하루
시리즈

쉽다!

하루 10분, 주 5일 완성의
커리큘럼으로 쉽고 재미있게
초등 기초 학습능력 향상!

재미있다!

교과서는 물론, 생활 속에서 쉽게
접할 수 있는 다양한 소재를 활용해
아이 스스로도 재미있는 학습!

똑똑하다!

초등학생에게 꼭 필요한 상식과 함께
학습 만화, 게임, 퍼즐 등을 통한
'비주얼 학습'으로 스마트한 공부 시작!

더 새롭게! 더 다양하게! 전과목 시리즈로 돌아온 '똑똑한 하루'
*순차 출시 예정

국어 (예비초~초6)

예비초~초6 각 A·B
교재별 14권

예비초: 예비초 A·B
초1~초6: 1A~4C
14권

영어 (예비초~초6)

초3~초6 Level 1A~4B
8권

Starter A·B
1A~3B
8권

수학 (예비초~초6)

초1~초6 1·2학기
12권

예비초~초6 각 A·B
14권

초1~초6 각 A·B
12권

봄·여름
가을·겨울 (초1~초2)

봄·여름·가을·겨울
2권 / 8권

안전 (초1~초2)

초1~초2
2권

사회·과학 (초3~초6)

학기별 구성
사회·과학 각 8권

정답은
이안에
있어!

실력에 따라 과목별로 다양하게 준비했어요!

수학 전문 교재

● 연산 학습

빅터연산   예비초~6학년, 총 20권

창의융합 빅터연산   예비초~4학년, 총 16권

● 개념 학습

개념클릭 해법수학   1~6학년, 학기용

● 수준별 수학 전문서

해결의법칙(개념/유형/응용)   1~6학년, 학기용

● 서술형·문장제 문제해결서

수학도 독해가 힘이다   1~6학년, 학기용

● 단원평가 대비

수학 단원평가   1~6학년, 학기용

● 단기완성 학습

초등 수학전략   1~6학년, 학기용

● 상위권 학습

최고수준 수학   1~6학년, 학기용

최강 TOT 수학   1~6학년, 학년용

● 경시대회 대비

해법 수학경시대회 기출문제   1~6학년, 학기용

국가수준 시험 대비 교재

● 해법 기초학력 진단평가 문제집   2~6학년·중1 신입생, 총 6권

예비 중등 교재

● 해법 반편성 배치고사 예상문제   6학년

● 해법 신입생 시리즈(수학/영어)   6학년

맞춤형 학교 시험대비 교재

● 열공 전과목 단원평가   1~6학년, 학기용(1학기 2~6년)

● 해법 총정리   1~6학년, 학기용

한자 교재

● 해법 NEW 한자능력검정시험 자격증 한번에 따기   6~3급, 총 8권

● 씸씸 한자 자격시험   8~7급, 총 2권

배움으로 행복한 내일을 꿈꾸는
천재교육 커뮤니티 안내 . . .

교재 안내부터 구매까지 한 번에!
천재교육 홈페이지

천재교육 홈페이지에서는 자사가 발행하는 참고서,
교과서에 대한 소개는 물론 도서 구매도 할 수 있습니다.
회원에게 지급되는 별을 모아 다양한 상품 응모에도
도전해 보세요.

구독, 좋아요는 필수! 핵유용 정보 가득한
천재교육 유튜브 <천재TV>

신간에 대한 자세한 정보가 궁금하세요?
참고서를 어떻게 활용해야 할지 고민인가요?
공부 외 다양한 고민을 해결해 줄 채널이 필요한가요?
학생들에게 꼭 필요한 콘텐츠로 가득한 천재TV로 놀러 오세요!

다양한 교육 꿀팁에 깜짝 이벤트는 덤!
천재교육 인스타그램

천재교육의 새롭고 중요한 소식을 가장 먼저 접하고 싶다면?
천재교육 인스타그램 팔로우가 필수!
누구보다 빠르고 재미있게 천재교육의 소식을 전달합니다.
깜짝 이벤트도 수시로 진행되니 놓치지 마세요!